ちくま学芸文庫

〈日本美術〉誕生

近代日本の「ことば」と戦略

佐藤道信

筑摩書房

【目次】〈日本美術〉誕生

〈日本美術〉誕生――近代日本の「ことば」と戦略

序章——美術の言語と言説

ことばによる美術史

　近代日本美術は近代に作られた。当然だ。しかし「日本美術」と「日本美術史」も近代に作られた、となると、説明が必要だろう。もちろん過去の作品が近代に作られたという意味ではない。「日本美術」「日本美術史」という概念と歴史認識の体系が、近代にできあがったという意味だ。

　作品じたいは、確かに古くからあった。「日本美術」「日本美術史」がそれを語ったものであることもまちがいない。しかし「日本美術史」という歴史体系じたいは、ことばによって記述されたものである。そのことばの体系が、近代日本に作られたのである。同時にそれは、史実を体系として構築する際の支柱となる、新たな歴史観と世界観の成立も意味していた。

　そもそも「近代」とは、「日本」「美術」「史（歴史）」とは、いったい何なのか。無自覚のうちに流通してきた意識的前提を、いちいちひっくり返すような、そしてそれを問題にしたところで本当に埒があくのかどうか不安になるような根源的な問いが、いま次々に発せられている。作品や資料に対する基礎研究の一方で、日本美術・近代日本美術の概念的枠組そのものを問う理論研究が行なわれようとしているのである。しかも、作品とともに〝美術史〟を作りあげた一方の当事者である美術史研究じたいが、近代の所産だったことから、こうした問いは、近代美術にとどまらない〝日本美術史〟全体にかかわる問題として浮上している。

本書で見てみたいのも、作品そのもの以上に、むしろ〝ことば〟によって織りなされたこの〝美術史〟という歴史認識の体系についてである。

〝美術史〟は、作品がなければもちろん成立しないが、美術の制作が、物質を媒体に作品という形で理念や思想や時代を具現化するのに対して、美術史研究や批評は、あくまで〝ことば〟を媒体として具現化される。したがって〝美術史〟の検証には、作品論や作家論・作品史と同様かつ同等に、両輪の一方をなす言語・言説論としての美術史の検証が不可欠と考えられる。

この作業を、本書の近代日本美術研究の領域内で行なおうとしているのには、大きく二つの理由がある。

一つには、現在美術一般に対して使われている最も基本的な美術用語の多くが、近代に作られていることである。「美術」「絵画」「彫刻」「工芸」といった基本的な用語から、

「歴史画」「戦争画」「風俗画」「風景画」といった多くのジャンル用語、「時間」「空間」「人間」「写実」といった美学哲学的用語にいたるまで、主要な美術の概念用語の大部分が、近代に作られている。必然的に、現在にいたる美術用語は、近代用語としての時代性を強く負っている。

こうした用語の多くは、新来の西欧概念の移植・翻訳として成立したものである。しかしそれが漢語訳として行なわれた分、その造語に際しては、従来の漢語や漢字の用法と、西欧概念との整合性を慎重にはかったうえで、漢字の選択と造語が行なわれている。いわば漢語による新生の美術用語は、中国と日本と西欧、過去と現在と未来を接合する概念用語として成立しているのである。これが、近代用語の基本文法といってもよい。

ところが、そうした近代の文法を負って成立した用語で、本来異なる文法を持つはずの古美術や西洋美術一般に対しても語られたところから、逆に実態と言語の概念的なズレが生じてもいる。それは時代間の位相のズレでもあり、作品と言語の不対応によるズレでもあった。したがってそのズレを検証するために、まずは近代用語がどのような理由と文法で作られ、どのような可能性と限界を負って成立したのかを確認することが必要と思われる。

第二には、現在にいたる美術史研究が始まったのも明治期のことであり、それによって作り出された〝日本美術史〟もまた、近代の所産だったことである。美術用語を美術の〝言語〟とするなら、美術史は美術の〝言説〟といえる。

美術の制度化

いうまでもなく〝日本美術史〟は〝日本史〟の一環にある。古くは『古事記』や『日本書紀』もそうだったように、歴史の編纂は、それを編む人々の立場から編纂される。これについて近年の歴史研究は、近代日本における〝歴史〟の編纂が、近代国家体制の整備の一環として意志的に〝創出〟されたものであること、具体的には、国家思想にもとづく近代天皇制による歴史統合として構築されたことを、明らかにしている。[1]

それを美術の領域で論じたのが、北澤憲昭『眼の神殿』（美術出版社、平成元年）であった。ここで北澤氏は、近代日本美術の制作だけでなく、美術史、博物館・美術館、展覧会、美術学校といった機構にいたるまで、西欧から移植された「美術」という概念にもとづく〝美術の制度化〟として捉えられることを、明快に論述した。まさに〝美術の制度化〟は、近代国家体制の整備の一環だったのである。

ここから、近代日本美術の研究も、史料中心の作品作家論や造形論的研究から、社会的視点をいれた研究へと大きく転回することになった。〝日本美術史〟の検証や美術史学史の検討を、まずは近代史の文脈の上でおこなう必要があるのも、このためである。

したがって、美術の〝言語〟（美術用語）の検証が、多分に言語論的な内容に比重がおかれるのに対して、〝言説〟（美術史）の検証の場合には、はるかに社会学的な問題を扱うことになる。

ところで美術史研究では現在、こうした視点のほかにも、フェミニズム論、ジェンダー論、ゲイズ（gaze視線）論、数理美術史論など、さまざまな視点や方法論による研究が試みられている。そうした研究は、必ずしも近代という時代に焦点をあわせたものではないのだが、なおかつこうした研究に共通している問題意識がある。歴史や制度といった〝表舞台〟に対して、単に別の視点からアプローチしたり裏面史をさぐるのではなく、〝表舞台〟の前提となった価値観じたいが、どのような力と論理によって作られたのかを探ろうとしていることである。個々の研究は論点も方法論も違っているのに、それぞれが体系そのものをゆさぶる議論になっているのは、いずれも体系の根源的な基盤そのものを問おうとしているからにほかならない。

ただそこでの議論は、必ずしも日本美術に対して限定的に行なわれているわけではない。したがってある論点を軸に語ろうとする場合には、どの国、どの時代の美術についても普遍的に論じうる部分と、個別の状況として考えるべき部分を、慎重に分別しながら相対的に論ずることが必要だろう。

世界の視野のなかで

その点、本書が関心をおく美術の語彙論や制度論は、〝近代〟〝日本〟という時代と地域に

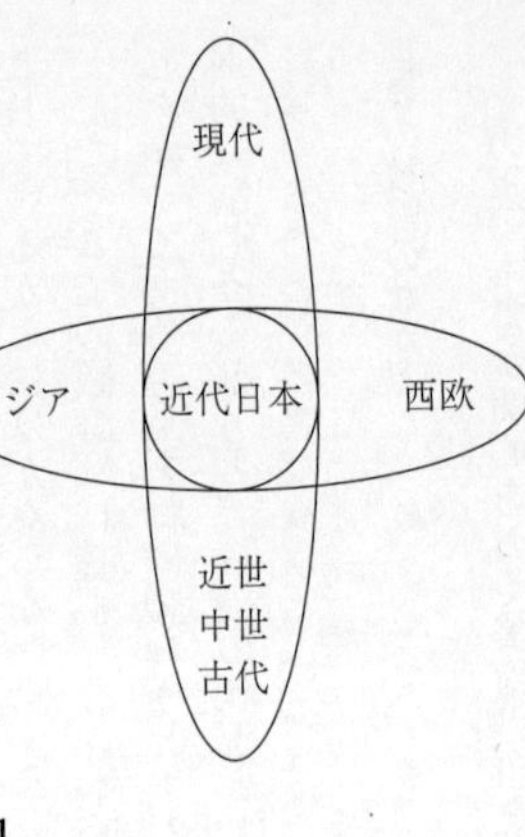

図1

焦点をあてるものであり、あくまで近代日本の国内論が中心となる。しかしその近代日本じたい、西欧や過去（歴史）との関係の上に構築されたわけだから、当然のことながら〝近代日本〟の国内論として自己完結するものではない。その立体的、有機的な検証には、第一に一九世紀の西欧と近代日本、第二にアジアと近代日本、第三に過去と近代、第四にそれを論ずる現在と近代という、少なくとも四つの基本的な視座が必要と思われる（図1）。

美術用語（言語）の生成や日本美術史の形成は、このうちの第一〜第三の点に強く関係し、戦後に形成された〝近代日本美術史〟や、今まさに行なわれようとしている美術史学史は、第四点に立脚した問題意識といえる。

本書では、こうした問題について各所で行なわれている研究をふまえ、各論に分け入るより、現時点での研究状況を概観できるよう、全体的な研究地図と相関図を描いてみることにしたい。

第一章　「近代日本美術」とはなにか——時間と地理の枠組

1 「日本」を考える

パスポートの「日本国」

はじめてパスポートを手にしたとき、表紙に書いてある「日本国」という言い方に、ちょっとした違和感を感じたのを今でも覚えている。日本人とは言っても、日本国人とはあまり言わない。外国に出ようとしてはじめて、自分が国家に帰属し、その許可なしには国外に出ることさえできない国家という存在の力、また外に対する内としての日本の存在を、実感させられた気がした。

そもそも「日本」を規定しているのは、地理なのか政治なのか、それとも民族、宗教、文化、歴史、言語のどれなのか。民族も宗教も一つではないし、言語も地方によっては互いにほとんど通じないほど方言は多様だ。

以下、『国史大辞典』(吉川弘文館)の「日本」「日本国王」などの項の記述にしたがいながら、「日本」を考えてみよう。

「日本」という名称には、地理上の意味と、政治的統一体としての意味の、大きく二つの意味がある。

いうまでもなく、地理上の意味は時代によって大きく変化する。中学校のころ、歴史の授業で古代中世の地図を見ていたとき、東北生まれの私は、色づけされた地図の中で東北北部と北海道がまっ白になっているのに驚いたことがあった。東北はまだ日本になっていない……。近代以降も、沖縄、樺太、台湾、韓国、満州などの併合や領有によって、「日本」の地理は大きく変化した。現在の地理は、なおいくつかの未解決の問題を含みながら、大枠は第二次大戦後の枠組によっている。

国際関係からの呼称

政治的統一体としての日本国について見ると、国号としての「日本」は、「ひのもと」の意味の漢字表記から生まれ、大化ころ以降、大宝ころまでの間に定められたらしい。やまと地方が統一の中心となったことから、「やまと」「おおやまと」などの名称も用いられ、中国では「委」「倭」「大委」「大倭」などの語でこれを呼んだ。

中国の史書に「日本」の名称が出てくるのは、『旧唐書(くとうじょ)』倭国日本伝からで、日本でも『日本書紀』(七二〇年)、『続日本紀』(七九七年)、『日本後紀』(八四〇年)、『続日本後紀』(八六九年)などの史書で、「日本」の名が用いられた。読みは、はじめ呉音で「ニッポン」と言ったものが、やがてこれを和らげた「ニホン」が併用されるようになったらしい。

欧米でのよび名は、「日本国」の中国音からとったマルコ・ポーロ『東方見聞録』(一二九八年）の Zipangu, Jipangu から、英語の Japan、オランダ語・ドイツ語の Japan、フランス語の Japon、スペイン語の Japón が生まれたという。

いずれにせよここで重要なのは、「日本」という名称が、三韓、中国などとの国際関係から生じた呼称だったことである。「やまと」が国内呼称だったのに対して、「日本」は対外呼称の国号として用いられたのである。

「日本国王」の名称でいうと、中国の史書では日本の支配者を「倭王」とよぶのが普通で、「日本国王」の名称が最初に見えるのは、唐代の『唐丞相曲江張先生文集』所収の「勅日本国王書」だという。その後、室町時代に三代将軍足利義満（あしかがよしみつ）が、明の永楽帝の冊封（さくほう）を受けて「日本国王」を用いる。以後も武家の将軍は、対外的には「日本国王」の名を用いながら、対国内では天皇の存在を意識してか、「征夷大将軍」の名称を用いた傾向が強いという。

その後、王政復古が号令された明治元年の即位宣命では、日本を『養老令』に見る古来の名称「大八洲国（おおやしまくに）」とする一方、同年の対外条約では天皇を「日本国天皇」とし、国号として「日本」、その最高権力者として「天皇」の名が正式に用いられた。以後、国号は明治二二年の旧憲法で「大日本帝国」とされたのち、第二次大戦後の昭和二二年の新憲法で「日本国」とされ、現在にいたっている。パスポートの名称はこれだったわけだ。

したがって、現在の「日本」という概念的枠組は、より直接的には戦後の政治的、地理的枠組によっているが、基盤は、明治期の国際関係の中で対外的に宣言された政治的統一体、近代国家としての「日本」によっていることがわかる。

そこに住む「日本人」、国語としての「日本語」、歴史としての「日本史」、持つべき精神としての「日本精神」といった概念も、これによって〝創出〟されたきわめて政治的、意志的な産物だったのである。当然、「日本画」「日本美術」「日本美術史」も例外ではない。

ハードとしての国家の名称「日本」が、明治元年に明示されたのに対して、文化や精神にまつわるソフトとしてのこうした諸概念の形成は、やや遅れて明治一〇年代なかごろ以降、とくに二〇年代に入って「日本」意識の高揚とともに本格化する。

ソフトとしての日本概念

それは、「日本」の名を冠した様々な組織や雑誌の名称にも端的にあらわれてくる。

明治一四年の日本鉄道会社、一五年の日本銀行、一七年の日本人類学会、一八年の日本郵船会社、二〇年創刊の国粋主義の新聞「日本」、二一年創刊の総合雑誌『日本人』、二三年創刊のキリスト教系の雑誌『日本評論』、二八年刊行の志賀重昂（しがしげたか）の地誌論『日本風景論』等々。

美術でも、明治一六年雑誌『大日本美術新報』が創刊され、二〇年代に入ると、二〇年日本美術協会、二四年日本青年絵画協会、二九年日本絵画協会、日本南画協会といった美術団体が、次々に結成される。岡倉天心が「日本美術史」の講義をはじめるのが明治二三年、のちほどくわしく述べるように、「日本画」という概念用語が成立するのも、明治二〇年代である。さらに三〇年代に入っても、三〇年の日本画会、日本南画会、三一年の日本美術院の結成など、その動きはとどまるところを知らない。

こうした動きは、明治一四年の国会開設の詔いらい、二二年の大日本帝国憲法発布、翌年の帝国議会の開設へむけた、近代国家体制の整備の動きに連動していた。とくに、明治一〇年代後半からの国粋主義の台頭、二八年の日清戦争の勝利によるナショナリズムの伸張などが、大きな背景となっている。

しかしその〝日本〟創出の方法論は、憲法や議会という西欧の制度をとりながら、実質、天皇制の確立だったこと、あるいは国粋主義の台頭によって洋画が冬の時代を迎えた明治一〇年代後半が、ほかならぬ鹿鳴館(ろくめいかん)時代だったことなどが象徴するように、まさに〝和魂洋才〟の方法論だった。つまり西欧の否定ではなく、その援用による〝日本〟の創出だったのである。それからすればこの時代の国粋主義は、昭和の西欧否定の排他主義的なファシズムとは異なり、むしろ短期間で西欧の制度を移植するバランス装置として右傾化をめざした、意図的、戦略的な世論操作だったようにも見える。

国民国家

こうして完成された近代国家体制について、近年の歴史学の研究ではこれを「国民国家」として性格づけようとしている。[2]

これは、日本型の特殊性を強調するものではなく、一八世紀末のフランス革命以降、世界中で形成された近代国家を、国家（ステイト）と国民（ネイション）が一体となって作った組織体として定義し、国家間システムが個別の国民国家を生み出したのだとした上で、日本型を検証しようとする。そして、国民国家としての意識を生み出すさまざまな制度や国家装置、国民的シンボルの創出を、西川長夫氏はフランス革命を例に表1のように明示している。近年の美術史研究における社会的な視点の方法論も、たしかにこうした統一的理論の上に位置づけることが可能と思われる。

つまり、歴史的にも対国内より対外的な国号として使われてきた「日本」という名称が、明治期にも基本的にその性格を継ぎ、一九世紀後半の国際関係の中であらためて外交的な国民国家の国号として定着したことがわかる。ここでの対外的な対象範囲は、中国・朝鮮半島・日本という東アジア圏中心から、西欧・アジア・日本という国際地図へと変わっている。

そして、「日本人」「日本語」「日本史」「日本文学」「日本画」「日本美術」「日本美術史」

(1) 交通（コミュニケーション）網，土地制度，租税，貨幣―度量衡の統一，市場……植民地	←経済統合
(2) 憲法，国民議会，（集権的）政府―地方自治体（県），裁判所，警察―刑務所，軍隊（国民軍，徴兵制）	←国家統合
(3) 戸籍―家族，学校―教会（寺社），博物館，劇場，政党，新聞（ジャーナリズム）	←国民統合
(4) 国民的なさまざまなシンボル，モットー，誓約，国旗，国歌，暦，国語，文学，芸術，建築，修史，地誌編纂	←文化統合
(5) 市民（国民）宗教―祭典（新しい宗教の創出―ミシュレ，伝統の創出―ホブズボウム）	

表1 国民統合の前提と諸要素（西川長夫「序　日本型国民国家の形成――比較史的観点から――」『幕末・明治期の国民国家形成と文化変容』新曜社，平成７年）

といった概念はすべて、そうしてできた「国民国家」としての「日本」が生み出した〝制度〟であり〝装置〟だったということになる。もともとあった史実もことばも人も、近代の論理の上に再編成されたわけだ。

余談になるが、「日本人」という言い方は、新しい近代の概念としての「日本」と土着性をにおわせる「人」という語を、うまくミックスした感じがする。たとえば東北人、関西人、九州人といった郷土意識の強い言い方には、「人」が違和感なく使える。江戸ッ子、博多ッ子などのように、「子」の愛称をつける場合も同じだ。しかし○○県につける場合には、○○県人か県民になる。いま出身地ではない埼玉県に住民票をおいて住んでいる私の場合、埼玉県民ではあっても埼玉県人という意識はない。さらに郷土性より政治的な自治体としての印象が強い東京都の場合は、東京人というより東京都民という方がしっくりくる。

つまり、地名に「人」をつける時には強い土着性や郷土性が意識されており、自治体や政治体名につける時には「民」か「人」、それがより政治性の強い自治体名ほど「民」がつく傾向にある。

その点、近代国家としての「日本」は、強い政治性をもって成立した語のはずだが、「日本人」というときの「日本」には、強い地域性も込められている。つまり政治的統一体としての「日本」と地域としての「日本」が、あたかも古くから一致して存在し、古くからそこに「日本人」が住んでいたかのような既成事実的な雰囲気を、「日本人」という言い方が演出しているように思えるのだ。日本人の単一民族説も、このような意識的戦略の上にあったのだろう。

2 「美術」「日本美術」「日本美術史」

西洋美術の価値観への対応

「美術」ということばと概念も、明治初年に西欧概念の翻訳語として生まれたものである。

くわしくは次章で述べるが、「美術」の語は明治六年のウィーン万博に参加した際、ドイツ語の Kunstgewerbe の翻訳による出品区分名称として初めて用いられた。

それまで「美術」に近い意味のことばとしてあったのは、しいて言えば「技芸」だが、新たな移植概念への対応として、新語が作り出されたわけである。この概念をめぐる〝制度化〟として以後、様々な表現技術、教育・鑑賞システム、機構制度の移植と整備がはかられたことは、北澤氏の研究が明らかにした通りである。

そして、「日本」も「美術」も近代に作られた概念だったことからすれば、その結合形の「日本美術」もまた、近代の概念だったことは言うまでもない。

その概念的枠組の要因を考えると、次のようなことが考えられるだろうか。

まず「日本」の語からの規定要因として、三点。

第一に、一九世紀後半の対外的な世界観の中で相対的に設定された概念であること。「日本画」「洋画」が相対的存在として成立したように、「日本美術」には「西洋美術」「東洋美術」といった相対概念が想定されている。

第二に、「日本」という概念が、ナショナリスティックな近代国家としての成立であり、「国民国家」としての成立だったことから、「日本美術」という概念もまた、ナショナリスティックな国家思想を背景としていること。

第三に、「日本美術」の地理的範囲は、基本的に近代「日本」が成立した明治初年段階の「日本」の領有地域によっていること。第二次大戦後の領有地域もほぼこれに等しいため、現在の「日本美術」の地理範囲もほぼ同様である。明治中期以降、進出や侵略によって拡大した地域の美術は、基本的に含んでいない。

また「美術」の語からの規定要因としては、「美術」が西欧美術の概念の翻訳として移植されたことから、「日本美術」も基本的に西欧美術の価値観や価値体系に従った理念構築が行われたこと。のちにくわしく触れるように、具体的には絵画、彫刻、アカデミズム、宗教美術を上位とし、工芸、大衆美術、生活美術などを下位に位置づけたことなどが、それである。これは制作面だけでなく、美術史研究においても同じである。

以上のような点が、「日本美術」という語が持つ概念的な構造と枠組といえようか。

近代「日本」が切りとった歴史

ではこれをふまえて、「日本美術」の歴史形の「日本美術史」が、どのような時間的、地理的枠組で構築されているのかについても見ておこう。

よく「日本の美術」「日本の美」と銘うった展覧会が行なわれることがある。その場合、規模が大きいほど、仏像や仏画・法具といった仏教美術、絵巻、水墨画、障屏画、大和絵、南蛮美術、浮世絵、洋風画、日本画、洋画、彫塑など、美術の歴史の流れを追って多種多様な美術が展示される。和漢洋の古今の美術が一堂にならぶようすは、岡倉天心が言った

〝東洋の博物館〟さながらの光景だ。

こうした企画では、ほぼ必ずといっていいほど、日本美術や日本美の特質を抽出しようとする作業が行なわれる。当然といえば当然なのだが、一方でそれは、特殊性や独自性の強調にはしりやすい傾向をもっている。しかしそうした独自性やオリジナリティの評価と追求は、実は近代の価値観であり、近代のナショナリズムを色濃く反映している。様々な美術を作ったかつての人々が、同じように〝日本〟的な〝独自性〟をめざしていたわけではは必ずしもない（もちろん地域性はあるにせよ）。

そもそも、仏教美術はインド、ガンダーラから東アジア、東南アジアといったアジア全域に広がりを持つものであり、水墨画も中国、朝鮮半島、日本といった東アジアの広い地域で行なわれている。こうした美術では、本場としての〝唐様（からよう）〟や〝天竺様（てんじくよう）〟は、きわめて珍重すべき価値基準であり、多くの場合日本風であることより本場風であることの方がよほど重要だった。近代日本洋画や現代美術と西洋美術の関係もこれに近い。

一方、琳派（りんぱ）や浮世絵、近代日本画のように、ほぼ日本だけで行なわれた美術もある。つまり、それぞれの美術が行なわれた地理的広がりや、その価値基準の所在（アジア、日本、西洋のどこか）は、それぞれの美術で異なっているのである。

それらが「日本美術史」として統合され新たに構築されたことは、近代に成立した「日本」という地理的、概念的な枠組の内側に、そうした過去の日本の様々な美術がスッポリと切り込まれたことを意味していた。型でモチを切りとるように、外への広がりを分断された形で、近代規格の「日本」の内側に切り入れられたのである。あえてそれを図式化してみると、図2のようになるだろうか。

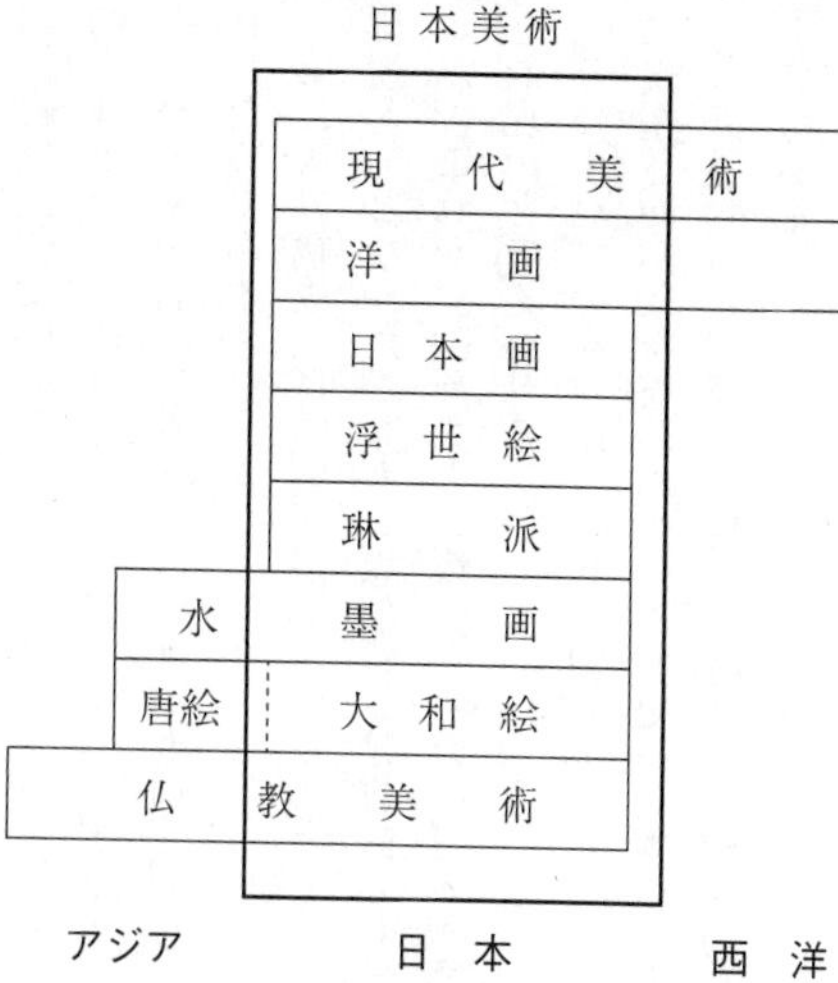

日本美術

現代美術
洋画
日本画
浮世絵
琳派
水墨画
唐絵 | 大和絵
仏教美術

アジア　日本　西洋

図2

広隆寺の弥勒菩薩像が、日本作か朝鮮半島作か、あるいはボストン美術館の法華堂根本曼荼羅図が、日本作か中国作かという議論が起こるのも、こうした問題と無関係ではない。どちらとも言える表現上の共通点や共有性があるからこうした議論が起こるわけで、逆に言えば、過去に東アジアで広く行なわれた表現を、近現代の国家の枠で切り分けようとするから生ずる議論とも言える。

　したがって、「日本美術」と同様に「日本美術史」も、その地理的枠組は近代初頭の日本の領有域によっている。そしてここで「日本美術史」構築の理念的支柱となったのは、天皇制にまつわる国家思想であった。それによって過去の美術品は、寺社や公家大名の所有から〝国家の歴史遺産〟〝天皇の歴史遺産〟として位置づけしなおされたのである。

第二次大戦後、皇国史観が排されたことで、美術品は〝皇国の歴史遺産〟から〝美の歴史遺産〟となった。しかし思想背景は排除されても〝国家の歴史遺産〟としての枠組は残った。これが、戦前までに構築された「日本美術史」の史的体系が、基本的に戦後も存続した理由と考えられる。

そのすべての起点は、近代初頭の「日本」国家の成立とその継承にある。

現在さかんに行なわれている歴史や日本の再考論は、存続してきた「日本」像そのものへの再考であり、同時に現在の時代的・国際的な情勢にもとづく新たな「日本」像の再規定でもある。

「日本画」「日本美術史」の再考も、同じことだ。しかも北澤氏が言うように、現代美術の多様化と混迷が、制度として移植、継承されてきた「美術」概念そのもののゆらぎを示しているのだとすれば、「日本美術」を構成してきた「日本」と「美術」両方の概念が、いま大きくゆらいでいるのだと言える。

つまり現在は、「日本」「美術」「歴史」という概念と認識のいずれもがゆらいでおり、長くは明治以降の〝近代〟、短くは戦後〝現代〟の転換点にあると考えられるのである。

3 「近代」の範囲と意味

「近代」はいつからか――一〇〇年の開き

これまで「近代」という語をくり返し使ってきたが、近代という時代がいつから始まるのかは、国によってずいぶん差がある。イタリアではルネサンスから、フランスでは一七八九年のフランス革命から、韓国では日帝植民地時代の否定から近代を置かず、いきなり戦後現代が始まるという。

日本では通常、明治維新（一八六八年）から第二次大戦の敗戦（一九四五年）までを近代、戦後を現代としており、美術もこれに従っている。英語で「近代」に対応しているのはmodern、「現代」はcontemporaryである。

「現代」という語は、いまの時代の意味だが、語意じたいが二〇世紀後半を特定しているわけではない。いつまでいっても〝いま〟は〝いま〟なわけだから、いずれ時代区分用語としては限界がくるだろう。

近代までを〝あちら側〟とすれば、現代はつねに〝こちら側〟として語られてきたが、戦後の「現代」もすでに五〇年を数えている。昭和二〇（一九四五）年から五〇年を逆算すると、日清戦争が終わった明治二八（一八九五）年までさかのぼる。その五〇年の変化の大きさを考えれば、戦後の五〇年にも、一連の連続した〝いま〟と考えるより、いくつかの質的転換を想定しておくべきだろう。アート・ナウ、アート・トゥデイといった言い回しも、経年によって現代美術じたいがすでに大きく変わったため、一括りの「現代」ではなく、まさにいまの〝現在〟に限定するときに使う言い方である。

ところで、何をもって「近代」の基準とするのかは、さまざまな分野で議論されているが、美術の場合、〝近代化〟は実質、西洋美術の移植と不可分の関係を持ったため、〝西洋化〟がその基準とされることが多い。そのため、江戸時代の洋風画も〝近代的〟と評されることがある。しかしそれでいえば、江戸時代初期の初期洋風画にも、論理上〝近代的〟要因を認めなければならないことになる。

昭和六三年に明治美術学会が「日本近代美術と西洋美術」という国際シンポジウムを開いたとき、日本の近代はいつから始まるかが話題にのぼった。このとき、ある人は一九世紀前半の渡辺崋山（わたなべかざん）からと言い、ある人は大正一二（一九二三）年の関東大震災以降と言った。崋山には個としての自我のめばえを、関東大震災には前代からの街並や旧習の一掃をその根拠としたものだったが、両者の間にはじつに一〇〇年近くの時間の開きがあった。ここでの議論の本質が、近代がいつから始まったかよりも、何をもって「近代」の基準とするかの点にあることは、明らかだった。

進歩史観

ふつうこうした基準は、いわゆる近代に起こった事象のなかから抽出され論理化される。それが当然なのだと思うが、ここでは〝近代〟を自律的に捉えるより、それ以前と根本的に異なった点を比較論的に考えてみたい。

まず挙げられるのは、進歩史観、発展史観にもとづく、進歩や発展・変化の目的化である。古くから江戸時代までの美術にも、もちろん様式的変化はあるし、表現技術上の進歩もある。しかし新しくすることや変わることが制作上の主要な目的だったわけではないし、鑑賞上の価値基準だったわけでもない。むしろそれは、〝独創性〟の評価というより〝新奇〟への興味と評価に近い。ときに変化や新しいことは、マイナス要因のことさえあった。その傾向は、〝家〟制度の存続をめざした狩野派などの美術にとくにいちじるしい。

それが〝近代〟においては、変化は単なる結果ではなく、それ自体が目的となった。ここにおいてはじめて、〝新奇〟とは異なる〝独創性〟や〝独自性〟が評価の基準として成立する。以後美術は、西洋美術の制度や表現技術の援用という方法で、それを達成しようとしていったのであった。

またそれがいつから始まるかについては、歴史上の転換点となった史実に重ねあわせるとすれば、やはり幕末の開国（一八五四年）から明治維新（一八六八年）におくのが、もっとも妥当と思われる。明治一〇年代には、日本で進化論が大流行し、これが二〇年代の歴史学の成立にも大きく影響した。このことも、〝進歩〟が時代のテーマそのものだったことを窺わせる。

こうした発展史観は、歴史観の形成にも、その根本部分でかかわっている。本来広域美術だった仏教美術や水墨画に、「日本美術」としての〝独自性〟を積極的に見出そうとする姿勢も、きわめて近代的な価値観といえる。まさにそれは国家論としての美術のあり方そのものでもあった。

またそれまでの画史画伝類では、基本的に画家の画業の頂点が語られている。それに対して近代以降の美術史研究では、画家の生涯と画業が年代を追って記述される。頂点の作品だけでなく、いまだ多分に〝未熟〟でもあるはずの青年期の作品も含めて、各時期の作品が変化の過程として位置づけられ、史的価値を獲得するのである。近代美術で「青春の煌（きらめ）き」といった展覧会が行なわれるのも、こうした価値観の背景があってはじめて可能なものといえる。

しかし独創性と変化をつねに要求する近代以降の美術は、一方で一定の作風に安住することを許さない状況も生んだ。それは、制作者にとっては強い強迫観念としても作用したが、これによって近代以降の美術は、その変化速度を一気に加速していく。その変化速度が、先端美術の価値観と、一般的・社会的な鑑賞基準とのズレを大きくしたことは、否定できない。現代美術の〝難しさ〟や〝わからなさ〟は、そのギャップの端的な例といえる。

「近代」の成立

ところで、「近代」という語そのものは、中国でも日本でも古くから〝近い時代〟〝最近〟といった意味で使われている。しかしそれが、明治維新から第二次大戦までの時代区分用語として一般化するのは、北澤氏によれば戦後のことらしい。それ以前にも時代区分用語として使われることが部分的にはあったようだが、一般的な社会用語となるのには、戦後「現代」の形成による前代の切り離しと、それによる「近代」の成立という経緯があったわけだ。美術館で「近代」美術館ができるのも、戦後のことである（昭和二六年神奈川県立近代美術館、二七年国立近代美術館）。

北澤氏らが実行委員となって、平成六年九月から日仏会館主催で一〇回連続のシンポジウム「〈美術〉――その近代と現代をめぐる一〇の争点」が行なわれたが、その着想の原点は、この近代と現代という二極の設定にある。先の四つの視座でいえば、第四の視座だ（図1、一四ページ）。第一回は「美術史の現在」として、「美術史における近代と現代」「美術史学の近代と現代」という二つの発表が行なわれ、その後討論が行なわれた。時代区分用語としての「近代」の一般化が戦後だという北澤氏の発言は、ここでのことである。

「中世」「近世」はなぜ「世」か

時代区分用語として「近代」「現代」といった言い方をするとき、それに対応するそれ以前のよび方は「古代」「中世」「近世」である。ここでちょっと不思議なのは、「古代」や「近代」に「代」の字が使われたのに対して、「中世」「近世」にはなぜ「世」が使われたのかである。

もともとこうした語は、西欧での歴史の時代区分として使われる「古代」「中世」「近代」の三区分によっている。ここでは一六世紀のルネサンスが古代の復興をめざしたことから、ギリシャ、ローマの「古代」とルネサンスの「近代」を栄光の時代とし、中世を暗黒の時代とした。このため modern の対概念は、ancient となる。

武家政治ののち、古代の王政への復古をかかげて近代が始まった日本の場合も、これに似ている。この古代、武家政権時代、近代という三分法が、明治期の歴史観の枠組となる。[3]しかし、その三分法が西洋にならったものであれ、それに「代」「世」どちらの語をあてるかは、こちら側の漢字の問題である。

「近世」「近代」という語は、明治以前からほとんど同義の〝近ごろ〟〝近い時代〟の意味で使われている。実際、「世」も「代」もほとんど同じ意味なのだが、もともとの字義には少し違いがある。

「世」の語は、十を三つあわせた「卅」を本とし、三〇年を一世とする。廿や卅の「卅」で、これをひきのばして「世」となっている。転じて一戸主、一王者、一王朝、さらに時、歳、代を重ねる代々の意味になる。

それに対して「代」の語は本来、時間の用語ではなく、人と弋の合字で、自分が他にとってかわることを意味した。つまり、時間概念よりも人や血脈の不定断続を示す意味あいが強い語といえる。

より純粋な時間概念の語としては、日月のめぐりを示す「時」の語や、それを一定区間で区切った「年」の語がある。そのため、これらの語がさまざまに組み合わされて、「世代」「時代」「時世」「年代」「年時」といった熟語ができてくる。

こうした状況を考えると、「中世」「近世」が、実質、武家政権だったそれぞれの時代を「世」の語でひとくくりにしてしまった言い方なのに対して、「古代」「近代」の語には、ともに代々の天皇の血脈による親政だったことを強調したニュアンスが強く感じられる。「君が代」の「代」はまさにこれである。いいかえれば、近代の天皇制による国家思想が、歴史の時代区分用語にも「世」と「代」の使い分けを生んだように思えるのである。戦前までの教育を受けた年輩の人々が、「神武（じんむ）、綏靖（すいぜい）、安寧（あんねい）、懿徳（いとく）、孝昭（こうしょう）、孝安（こうあん）、……」と、歴代天皇の名を暗誦できるのも、そうした思想教育の結果といえる。

第二章　美術の文法

1 造語の方法論

〝美術史〟が成立するためには、もちろん美術の作品がなければならないが、それを〝歴史〟として構築するのは、〝ことば〟である。

ここで同じ〝ことば〟の問題といっても、前述のように大きく二つの問題がある。一つは、「美術」「絵画」といった単語の概念用語、いわば〝言語〟の問題であり、もう一つは美術史研究や美術評論といった〝言説〟の問題である。

本章では、前者の美術にまつわる概念用語が、どのように形成されたのかを見ておこう。最初に触れたように、現在我々が古今東西の美術一般に対してごくふつうに使っている美術用語やジャンル用語の多くは、明治期に作られたものである。そしてそうした用語が作られる際には、いくつかの基本的な方法論があった。

漢語翻訳

第一には、多くの語が、西洋美術の概念用語や価値体系に対応する形で作られたこと。ここではより直接的な翻訳による造語の場合もあれば、すでにあった用語の語意再編というケースもある。

第二には、大部分の用語が漢語による造語だったため、造語に際しては、従来の漢字の意味と西欧の概念との整合性を慎重にはかった上で、漢字の選択やその結合による熟語の造語が行なわれていることである。類義語の結合もその一つの方法で、「絵」と「画」をくっつけた「絵画」、「彫」と「刻」による「彫刻」、「風」と「景」による「風景」、「陰」と「影」による「陰影」などは、その典型である（美術以外での「技術」「宗教」「存在」なども同じ）。類義語の結合による造語は、従来和漢の美術に対して少しずつ使いわけられていた語を結合させることで、より広く西洋美術に対しても使えるマキシマムな用語としたものと考えられる。

したがってこうした用語は、従来の漢字の意味と西洋概念の双方を継いでいると言える。その幅広い接続性のゆえに、日本東洋の古美術、近代日本美術、西洋美術のいずれに対しても使える汎用性を獲得したと考えられるのである。

その点、「写実」や「歴史画」「戦争画」といった、西洋概念のより直截的な翻訳語として成立した語、あるいは「平面」「立体」といった現代美術用語などで古美術を語りにくいのは、これらの語が従来の用法を踏襲しておらず（むしろ区別化）、古美術に対する概念的な接合性を持っていないためと思われる。

つまり、美術用語の生成も、伝統形式の上に西洋美術を接いでいった近代美術の作品生成と同じような方法論で行なわれたのである。しかもそれが漢語訳で行なわれたことは、伝統絵画への西洋美術の吸収が、当初漢画系の画派を中心に行なわれたことと、同じような状況を示していることがわかる。このことは、新来の西欧文化の翻訳に、すでに日本に定着していた外来の中国文化が媒体となったことを示しており、文化移植のパターンを示す現象としてもたいへん興味深い。

ここでことばの問題にこだわるのは、新たな語彙の造語を、概念の創出として美術作品と同等のものと考えるからであり、作品と同様にことばも、一定の時代性を負った時代の産物と考えるからである。

ではそれぞれの美術用語の生成過程を、順に見ていこう。

2 「美術」はどう造語されたか

音楽まで含まれていた

日本で「美術」という語が初めて用いられたのは、前述のように明治六(一八七三)年のウィーン万博参加の際、出品をすすめる出品差出勧請書添付の出品規定においてだった。北澤氏の〝美術の制度化〟論も、すべてここから始まる。[4] 紹介しておこう。

「美術」は、二六に分かれた出品分類区分の第二二区に、次のように現われる。

美術（西洋ニテ音楽、画学、像ヲ作ル術、詩学等ヲ美術ト言フ）ノ博覧場ヲ工作ノ為ニ用フル事

ここでの「美術」は、（　）内に記されたように音楽、絵画、彫刻、詩なども含んでおり、いまで言う芸術の意味に近い。しかしその原語は、ドイツ語の Kunstgewerbe で、純粋芸術というより産業的な意味あいの強い〝工芸美術〟である。ところが、第二五区にも「今世ノ美術ノ事」とあり、ここでの原語は、Bildende Kunst（造形美術）だという。同訳の「美術」でも、原語の質的レベルが混乱しているのである。そうした概念的未整理と、Schöne Kunst（純粋芸術）への拘泥（こうでい）から、（　）中の音楽、絵画、彫刻、詩を含むという註をつけることになったと、北澤氏は推測している。

以後「美術」の名称は、明治九年工部省に設置された工部美術学校という学校名や、翌一〇年に開設された内国勧業博覧会の出品区分名称（第三区美術）として使われたことで、社会的に周知されていく。この官立の学校や官設の博覧会で用いられたことが、「美術」の語の普及に大きく影響したと思われる。

ここで重要なのは、北澤氏が指摘するように、第一に「美術」が（　）内の「西洋ニテ」の註釈どおり、西欧概念の翻訳として成立すること、第二にそれは政府による官製用

語として成立し、その移植と普及も国家の主導で行なわれたこと、後述する問題に絡みもう一つ付け加えておくなら、第三に、「美術」という概念の用語的な器は、その移植と普及の機会が博覧会や工部省の美術学校だったことが示すように、日本ではまず殖産興業という産業政策の中で作られたことである。

こうした上意下達的な普及を受けて、巷間では当初「美術」の語がハイカラ用語として流行し、美術下駄、美術傘、美術おしろいといった珍妙なものも現われたらしい。[5] 当時の人々が、油絵や写真・生人形のリアリズムも見世物として楽しんだことを思えば、新来の技術や概念を娯楽にして楽しんでしまう、人々のネアカでしたたかなウィットを感じさせる。制度の力に対するこの二枚腰の対応こそが、「美術」受容の一つの実態だった。[6]

この珍妙な現象は、なにも明治初年ばかりのことではない。第一次大戦後に生まれ、文化住宅や文化包丁の名称にも使われた「文化」の語の流行。アートコーヒー、アートエステ、アートへアサロンといった最近の横文字「アート」の流行も、同じといえば同じような使い方といえる。

ただ明治初年の場合、いまとちょっと違うのは、「美術」の受容側だけでなく、制度的普及をはかった官側でも、「美術」概念の規定が一定していないことだった。

官製用語として作られる

龍池会の場合などは、明治一三年『工芸叢談』に「美術」概念の規定を発表する際、まず原案作成の委員を選出し、提出された草案を総会で承認、決定するという、役所のような手続きを行っている。[7] 龍池会(りゅうちかい)は前年の明治一二年、古器物保護と殖産興業的な美術の振興を目的に、大蔵・内務両省の官僚と輸出業者らが作った組織で、政府の外郭的な美術団体だった。それからすれば、いかにも龍池会らしい決定手続きで、「美術」が官製用語として作られたことを象徴する出来事でもあった。彼らこそは、ウィーン万博の実務を担当した人々だった。

このほかにも、明治一〇年代には、「美術」の内容にかんするさまざまな規定と紹介が試みられている。明治一〇年前後の西周(にしあまね)の「美妙学説」、一五年のアーネスト・フェノロサの「美術真説」、一六年の中江兆民訳「維氏美学」(原文ウージェーヌ・ヴェロン)、一九年の坪内逍遙の「美とは何ぞや」などがそれである。

ただ、「美術」の規定には、逍遙も言うように、そもそも「美」とは何かという規定が必要だった。そのためこうした諸論は、基本的に美学論というべきものになっている。

美学自体、このころはまだ形成期で、その名称も佳趣論、善美学、美妙学、審美学など、バラつきがある。「美学」の名に統一されるのは、明治二二年東京美術学校で始まった「美学及美術史」、二四年東京大学で「審美学美術史」から改められた「美学美術史」の講義名称においてである。

こうした明治一〇年代までの美学論にあらわれる「美術」の多くが、実はウィーン万博のときと同じように、音楽や詩を含んでいる。おそらくは、美学のあつかう「美」が、いわゆる美術に限られるわけではないため、その「術」としての「美術」にも、音楽や詩が含まれたのだろうと思われる。

まさに、これはいまでいう芸術に近いのだが、では「美術」と「芸術」は、当初どのような関係にあったのだろうか。

「美術」と「芸術」

話をもう一度原点にもどしてみると、「美術」という語が作られたとき、なぜ「美」＋（プラス）「術」として作られたのか。茶道とか書道とかいう言い方からすれば、〝美道〟でもよかったかもしれない。あるいは字義からすれば、〝美芸〟でもよかったのではないか。のちに岡倉天心が、フェノロサとともにボストン美術館の日本美術コレクションの中核を作ったビゲローに贈った漢字の和名は、「美芸郎」だった。また「技術」の語が示すように技と術が類義語だったことからすれば、〝美技〟でもよかったのではなかったか。

実は、「美術」の語が誕生する下敷きとなったのは、ほかならぬ「芸術」という語だったように見える。

「芸術」の語は、中国でも日本でも近代以前からあったことばである。しかしその意味は、いまとかなり違っていた。

『大漢和辞典』で「藝」の字を見ると、礼楽射御書数の六藝、易詩書礼楽春秋の六経などもさし、わざ、才能、才智、学問、技術といった意味があった。つまりいわゆる人文系の学問一般のほかに、数学や音楽、また弓術や馬術などの武芸も含んでいたのだ。清代の『鼎文版簡目彙編巻四』によれば、「藝術典」には占星術から農業、漁業といったものまで含まれている。晋書・周書・北史・隋書などで「藝術伝」といえば、卜祝筮匠の技に長じた人の列伝で、占いの意味も大きかったらしい。[8]

もう少し「藝」の字を見てみると、「藝」は「埶」の俗字で、「埶」は種をまく意味。まいた種が成長して立派な樹木となることから才幹の意味にもなり、「艹」冠をつけて「蓺」、さらにそれが「藝」になったという。

日本では「藝」を略して「芸」とし、これを「ゲイ」と読むが、中国ではもともとこの両字は別のものだった。「芸」は読みは「ウン（云）」で、虫よけなどにも使う植物の名前のこと。阿辻哲次氏によれば、中国で宮中の蔵書機関を「芸閣（うんかく）」と言うのもこのことだが、日本では本来のこの「芸」の字がほとんど使われなかったために、「藝」とバッティングを起こすこともなかったという。[9]

つまり、「芸術」は、学問から武芸など幅広い技術までを示すことばだったわけだ。おそらくは、そこから武芸や占いなどを切りおとし、〝美〟に関する術に限定する意味で、

「美術」という語が作られたのではないかと思われる。

『明治のことば辞典』(惣郷正明・飛田良文編、東京堂出版、昭和六一年)で見ると、明治期の「芸術」の語は、長らく旧来のケイコゴト、ワザの意味で使われている。いまふうの芸術の意味が一般化するのは、明治三〇年代のことである。北澤氏によれば、明治九年の博物館の分類では、名物などの上手物(じょうずもの)を「芸術部」、日用雑器類を「工芸部」に入れたらしく、博物館での「芸術」は、いくぶん早くいまふうに近づくらしい[10]。ただここでの「芸術」は、現在のような音楽や文学を含むものではもちろんない。

こうした状況からすると、「美術」と「芸術」のうち、現在の意味に早く近づくのは新生の「美術」の方だったことがわかる。「芸術」の語は、以前からあった分、旧来の意味を長くひきずることになったと思われる。こうした傾向は、「芸術」の語に限らず、かなり一般的な傾向といえるだろう。

技芸という語

ところで、旧来の用語で近代の「美術」に最も近いものとして、実は「技芸」という語がすでにあった。これを用いなかったのは、「美術」を旧来の概念と区別し、新来の概念であることを演出するためだったかもしれない。のちに、歴史と伝統性を重視した宮廷美術家制度に、帝室技芸員(明治二三年)として「技芸」の語が使われたことは、そうした経緯を考えると興味深い。

「技芸」は制作を示すことばである。それをする人は「技芸員」。一方、それを研究するのが「学芸」で、行なう人が「学芸員」となる。いま美術館のキュレーターにあてられている訳が、この「学芸員」である。

一体に、皇室関係の制度や部署名には、伝統的な用語が重視されてきた傾向が強い。現在、宮内庁で美術品の管理を行なう部署に「調度係」があるのも一例だろう。

音楽と詩学

ついでに、はじめ「美術」の中に含まれていた「音楽」「詩学」についても簡単に触れておこう。

「音楽」の語の初出がいつかはわからないが、『明治のことば辞典』によれば、文久二(一八六二)年の『英和対訳袖珍辞書』では、minstrelsy・Music、慶応三(一八六七)年の『和英語林集成』では、An entertainment of vocal and instrumental music, accompanied with dancing.——wo so szru と訳されている。まさにおどりも入った歌舞音曲だ。その後も明治期の辞典類では、フエタイコ、ハヤシ、カミヲイサムルなど、雅楽や芝居などのなりものをさす方が多い。明治二〇年に設置された東京音楽学校の「音楽」は現在と同じ意味だが、社会的にそれが一般化するのは、明治末の西洋音楽の流行によるところが大きかったようだ。

「詩学」の場合の「学」は、ウィーン万博の出品規定で絵画も「画学」といわれているように、現在の歴史学や政治学といった研究領域を示すものというより、学芸一般といった程度で考えた方がいいだろう。いまでいえば、「語学」や「文学」の用法がこれに近いかもしれない。ちなみに音楽の語が、音「学」ではなく音「楽」と「楽」の字を採用したのは、雅楽や舞楽、伎楽（もっと広く見れば神楽や田楽も）など、そのベースとなった諸楽が「楽」の字を使っていたためかもしれない。

「詩学」ならばあるいは特に詩（漢詩）を重視したのかもしれないが、これはのちに一般化した用語ではないから、類義語の「文学」を見てみると、「文学」は、武芸に対する文の道として、本来幅広い学問の意味だった。明治以降も長らくこの意味が使われている。一方いまの意味としては、明治一四年の『哲学字彙』で「Literature 文学」とされたのが、大きく影響したらしい。この翻訳字典『哲学字彙』は、特に哲学用語の成立には、きわめて大きな役割をはたしている。

また、「芸術」「文学」に近い「文芸」の語は、もともと「学問と芸能」の意味だったものが、明治期に「文学」との関係から、「文学の芸術」あるいは「文学と芸術」の意味にも使われるようになったという[11]。本来的には「武芸」に対する「文芸」としてあったものと思われる。

3 「絵画」の成立

書画から絵画へ

ウィーン万博の出品規定では、絵画は「画学」と記されていた。

明治九年に初の西洋美術の教育機関としてできた工部美術学校でも、絵画科は「画学科」とされている。

翌一〇年にはじまった内国勧業博覧会の第一回展では、第三区「美術」のなかで絵画は「書画」となっており、一四年の第二回展でも同じである。内国勧業博覧会で「書画」が「絵画」となるのは、二三年の第三回からである(表2)。

官立の機構や事業の中で「絵画」の語が現われるのは、明治一五年の第一回内国絵画共進会の展覧会名が最初である。

「絵画」という語そのものは、中国の画論にも見られるが、現在のように一語として使われているわけではない。「図画」「画図」「図絵」「絵図」なども同じである。それらは、たとえば上下、左右といった言い方と同じで、二字を連語にしただけのものである。一語としての「絵画」は、明治期の日本で作られたことばだった。[12]

第3回（明治23年）	第4回（明治28年）
第1部／工業 　第1類　化学製品及薬剤類 　第2類　焼窯製品 　第3類　瑠璃 　第4類　七宝 　第5類　金工 　第6類　漆器 　第7類　木竹類の製品 第2部／美術 　第1類　絵画 　第2類　彫刻 　　木竹彫刻，牙角介甲彫刻，金属彫刻，塑造 　第3類　造形造園の図案及雛形 　第4類　美術工業 　　其1．金工，其2．鋳工，其3．漆器，其4．陶磁，玻璃，七宝，其5．織物，縫物等，其6．家具，其7．各種美術工業，其8．図案 　第5類　各種の版写真及書類 第3部／農業，山林及園芸 第4部／水産 第5部／教育及学芸 第6部／鉱業冶金術 第7部／機械	第1部／工芸 　第1類　化学製品及薬剤 　第2類　紙及其製品 　第3類　写真及印刷 　第4類　糸 　第5類　織物 　第6類　衣服，装飾具其他雑品 　第7類　漆器 　第8類　木竹類製品 　第9類　革骨介毛等の製品 第2部／美術及び美術工芸 　第18類　絵画 　　其1．着色画・墨画，其2．油画，其3．水彩，其4．其他（亜筆パステル画等） 　第19類　彫刻 　　木彫，牙彫，角彫，金彫，玉石，彫漆彫，塑造 　第20類　造形造園の図案及雛形 　第21類　美術工芸 　　其1．漆器，其2．金属器（鎚工，鋳工，象嵌，布目象嵌），其3．陶磁，玻璃，七宝，其4．織物，縫物等，其5．各種美術工芸，其6．美術工芸に供すべき図案 　第22類　各種の版写真及書 第3部／農業，山林及園芸 第4部／水産 第5部／教育及学芸 第6部／鉱業冶金術 第7部／機械

↗図録，大阪市立博物館，平成4年）

第１回（明治10年）	第２回（明治14年）
第１区／鉱業及び冶金術 第２区／製造物 　第１類　化学上の製造物 　第２類　焼窯術上の製品 　第３類　瑠璃及び瑠璃器 　第４類　七宝器の語種 第３区／美術 　第１類　彫像術 　　第１属　金石粘土或は亜土の以て製する物類偶像等 　　第２属　彫鏤，鋳造 　第２類　書画 　第３類　剞劂 　第４類　写真 　第５類　工案 　第６類　嵌装 第４区／機械 第５区／農業 第６区／園芸	第１区／鉱業及び冶金術 第２区／製造物 　第１類　化学製品及び調剤品 　第２類　焼窯製品（但美術を示すものは第３区） 　第３類　瑠璃器（但前同断） 　第４類　七宝器（但前同断） 　第５類　金属製品（但前同断） 　第６類　漆器（但前同断） 　第７類　木製及び其他の器具 第３区／美術 　第１類　彫鏤 　　其1. 金土木石陶磁の彫像及び鋳造並に石膏模型，其2. 金属木石牙甲の彫鏤物及び雑嵌並に刻碑，其3. 貨幣賞牌印刻 　第２類　刊刻 　第３類　書画 　　其1. 各種の書画，其2. 油絵，其3. 織出，縫出，染出の書画，其4. 蒔絵，漆画，焼絵等，其5. 陶磁器七宝及び金属の面 　第４類　百工の図案 第４区／機械 第５区／農業 第６区／園芸

表２　内国勧業博覧会の列品区分（ただし区分名称形成期の第1〜4回とし，ほぼ確定した明治36年第5回はここでは除外した）（「工芸家たちの明治維新」展↗

では「絵画」と「書画」、あるいは「図画」「図絵」などはどのような関係にあるのだろうか。いまの用法でいえば、展覧会に出品するのは「絵画」、小中学校で教えるのは「図画」であり（明治一四年小学校教則綱領が初出）、「画図」というと明治初めごろの測量図や製図的なニュアンス、「絵図」や「図絵」は、古典的あるいは近世的な図絵や紀行図のようなものを連想させる。「絵画」に対する「書画」だと、「書画」の方が掛軸のような古いものをさす印象がある。

こうした印象じたいが、実は意味がある。人々に〝何となく〟そう感じさせる判断基準じたいが、歴史性を背負っているからである。とくに明治期におこった「書画」から「絵画」へという変化は、日本の近代絵画が何をめざしたのかを、あざやかに象徴していた。

本来、「絵」と「画」あるいは「図」は、それぞれ異なる意味を持っていた。まずそれから確認しておこう。

色彩をもつもの

「繪（絵）」の字は、「糸」と「會」からなり、五色の糸をあ（會）わせて縫模様をすることをいった。つまり「繪」の字には、色彩をもつことが属性として字義に内包されているのである。

一方「畫（画）」の字は、もともと田の界を作ることに発し、田の下の「一」は限界、

「聿」は「筆」の本字で、界をしるすことを意味した。これから、分ける、はかるといった意味が生まれ、絵画に転じると、種々に区分して物の形を写すことを言った。「畫」の字は「書」ともよく似ており、また筆の一線を一画ともいう。このことから「畫」の字の属性として、第一に書と密接な関係にあり、筆線や筆致が重要な意味を持っていることがあげられる。

第二には、書が墨を用いることから、「畫」は色彩よりも墨と近い関係にあったことである。つまり、「畫」と書、墨、筆線のあいだには、不可分ともいえる強い親近性があり、そうした関係の上に「畫」は成り立っているのである。「書画一致」は、まさにこのことを意味している。さらに書は漢詩と不可分の関係にあったことから、「詩書画一致」の理念も生まれてくる。それが「書絵一致」ではなかったことは、「絵」の字義も示すとおり、「絵」にとっては筆線や水墨が絶対的な必要定義ではなかったことを逆に示している。

こうした字義の状況は、歴史的に色彩中心の大和絵系の作品に「絵」、水墨を中心とする漢画系には「画」の字が多く使われてきたこととも符合する。

したがって本来的には、「絵」は主として濃彩厚塗り、「画」は水墨か水墨淡彩のものをさしたことが予想される。「画」に比べ「絵」には、華美な装飾性へと傾斜しかねない属性がすでに内包されているのである。筆技の点でいえば、「絵」は〝ペイント〟、「画」は〝ブラッシュワーク〟の要素が強いといえる。

和漢のイメージ

また〝大和絵〟〝漢画〟という言い方が示すように、「絵」「画」それぞれの属性は和漢のイメージに結びつきながら、作品そのものに対してだけでなく、流派という社会組織に対しても使い分けられる傾向があった。たとえば字義的には「絵」というべき彩色画でも、それが漢画系の流派の作品の場合には「画」の字があてられたりするケースである。

つまり、作品に対して「絵」「画」どちらの語を実際に使うかは、色彩や筆致といった作品の状態による美術的判断、大和絵系か漢画系かといった社会的判断など、いくつかの基準を使い分けながらその都度決定されていたのだと思われる。統一的な論理ではないから、一見すると恣意的に見えることも少なくない。

しかしともかくも、一定の基準で「絵」と「画」は使い分けられてきた。ところが明治以降、西洋絵画にまつわる情報が急速かつ大量に流入した時点で、それらをどのような名称でよぶのかは重大な問題だったはずである。従来の「書画」では違和感があるし、もはやそれらは「蘭画」でもない。

おそらくはここで、それらすべてをさし示すより包括的な概念用語として、「絵」と「画」を合わせた「絵画」という語が生み出されたものと考えられる。

ここで重要なことは、「美術」と同様「絵画」の語の生成にも、西洋美術（絵画）が力の起点として作用していることである。西洋絵画に対するのに、こちら側の「絵」と「画」の違いは大同小異のものとなり、両者が結合することで概念的な再編と強化がはかられたのである。

こうした経緯からすれば、「書画」の価値観の起点が中国にあったのに対して、「絵画」は明らかに西欧を向いたことばである。「書画」から「絵画」への変化は、近代日本の絵画の指標が、中国から西欧へと大きく転換したことを象徴するでき事だったのである。

また「書画」から「書」と「画」を切り離し、「絵」と「画」をくっつけて「絵画」としたことは、字面だけでなく現実的問題としても、「絵画」からの「書」の分離という状況をひき起こした。フェノロサの文人画（ぶんじんが）批判がそうだったように、絵画の自立をめざした文学と絵画の分離が行なわれたのである。

以後「書」は、西欧を指標とした〝美術の制度化〟の中で、冷遇され続けることになる。東京美術学校から東京芸術大学となった現在にいたるまで、一度も書科が置かれなかったこと、文部省美術展覧会（通称「文展（ぶんてん）」、明治四〇年開設、日展の前身）からも書は除外され、第二次大戦後の日展でようやく第五科書が設けられたことなどは、その端的な例である。もし西洋美術にも「書」というカテゴリーがあれば、状況は大きく異なったはずだ。

こうして「絵」＋(プラス)「画」による「絵画」の成立を見たわけだが、ここでひとつ、注意しなければならないことがある。

たとえば近代日本画の一つの特徴は、いちじるしい色彩化である。これは字義からすれば、「絵」の拡大化である。

ところが一方、明治以降にできたジャンル用語では、「日本画」「洋画」「仏画」「水墨画」「花鳥画」「山水画」「風景画」「人物画」「裸体画」「風俗画」「美人画」「静物画」など、ほとんどのジャンル用語に「画」の字があてられている。この中には色彩中心のものもある。近代絵画が実質色彩化の時代だったことからすれば、これは一見矛盾しているように見える。

もともと色彩にとむ日本絵画は、宋代以降水墨画を絵画の中心とした「画」の中国絵画にくらべると、実態は「絵」の方にあった。このことが、現在でも中国絵画では水墨画が大きな比重を占めているのに対して、近代以降の日本絵画が急速な色彩化へ走った歴史的素地になっていると考えられる。

ところが日本では歴史的に、それを評価する価値基準としては、「画」を「絵」より上位とする中国の価値体系を移植していた。ここですでに、「絵」の実態と「画」重視の評価システムの間に、ギャップが生じている。

そしてこの価値基準では、「画」が公、「絵」が私として位置づけられていた。この関係は、絵画論が「絵論」ではなく「画論」といわれたように、明治以前からすでにあった。ジャンル用語に「画」が多用された理由も、水墨中心という字義ではなく、おそらくこの「画」の持つ〝公〟性にあったと考えられる。西洋絵画に対応しうる、あるいは制度にふさわしい存在であることを表示するために、「絵」ではなく「画」が使われたのである。

そうすると、近代日本の絵画は、表現上の実態としては色彩化つまり「絵」化していったのに対して、その価値づけとしては「画」の〝公〟性が拡大していったことになる。

こうした「画」の語の用例は、近代以降いたるところで多見される。たとえば、作家は「絵家」ではなく「画家」となり、主題は「絵題」ではなく「画題」、素材は「絵材」「絵用紙」ではなく「画材」「画用紙」となる。また「本画」に対する下絵には「下絵」「下図」など「絵」や「図」の字があてられ、「下画」とは言わなくなるのである。

ここで「図」の字にも簡単に触れておこう。

「圖（図）」の字は、囗（国）と啚（嗇）（おしむ）からなり、事業（国）を計画（経営）することの困難さの意味から転じて、地図、図面などの意味が生まれた。系図などのように、形を整え人に示す類のものにも「図」の字があてられた。転じて美術では、「図」は物の形をそっくりそのまま丸写しにすることをいい、「絵」や「画」にくらべて実用的な性格が強い。

「図」の場合は、作品というより実用目的のものだったため、〝公〟的用語にはあまり使われなかったものと思われる。

「画」と「絵」に見るようなこうした公私の性格対比は、実はさまざまな所に見られる。特に、中国の制度を移入した日本では、中国のものを公、日本のものを私とするケースが少なくない。「真名(まな)」の漢字に対する日本の「仮名」、漢詩と和歌、漢学と国学。御所や城郭の障壁画でも、政治の場である表向きの部屋は中国的主題で漢画、後宮は日本的主題で大和絵という基本パターンがあったという。また同じ「絵」の範疇(はんちゅう)の絵巻でも、物語の原作者も享受者も女性である「源氏物語」のような「女絵」、中国絵画の伝統を引く墨線描の「伴大納言絵詞」のような「男絵」といった区別もあった。

こうした事例は、相対的な公私の設定が、中国・日本の関係だけでなく、政治と文芸、男と女などの間にも行なわれているようすをうかがわせる。

西洋が公になる

江戸時代まで中国を公、日本を私とした関係は、明治以降は西洋を公、日本を私として組みかえられる。日本の中での西洋と中国では、西洋が公、中国が私となる。

この関係が、「絵画」と「書画」、展覧会と書画会などの関係にも、そのままあてはまることになる。時代の追い風を受けたのは、あくまで「絵画」や展覧会の方だった。

　ただここで注意しなければならないのは、そうした制度面と一方の社会的実態とは、必ずしも一致していないことである。明治年間を通じて（あるいはもっと長く戦前まで）、多くの人々が好んだのは、洋画や革新的な日本画よりむしろ南画や書だったし、いまでも東京都美術館で一年に開かれる展覧会のうち最も多いのは、戦後復権した書の展覧会である。いまでこそ進学塾におされているが、最近までの街中の書道教室とソロバン教室の多さは、生活レベルにまで浸透した歴史文化の根強さを感じさせる。

　その点、「絵画」と「書画」の〝公〟〝私〟は、必ずしも概念的上下や力関係として読みとるより、制度と生活、建前と実態と読み替える必要もあるかもしれない。

　戦後の現代美術では、「平面」という概念用語が新たに作られたことで、絵画に関する美術用語も、「絵画」と「平面」が混在している状況にある。

4　「彫刻」か「彫塑」か

木彫からスタート

　彫刻は、ウィーン万博の出品規定では「像ヲ作ル術」とされていた。「彫刻」の語が正式に使われるのは、明治九年開設の工部美術学校での学科名としてである。
同校には「画学科」「彫刻科」の二科がおかれ、イタリアから招聘された二人のお雇い外国人、フォンタネージ（画学科）とラグーザ（彫刻科）が教えた。これが日本で最初の官立の西洋美術教育機関だったことからすれば、「彫刻」の語もまた、西洋美術への対応から生まれた官製用語といえる。

字義でいうと「彫」は彫ること、「刻」は刻みこむことだから、「絵画」の語と同様に、類義の二字をつないだ熟語である。〝彫り刻む〟技法から「彫刻」の語が形成されたこと自体、日本の彫刻が木彫を中心にしてきた歴史的経緯をうかがわせる造語といえる。

洋風彫刻の教育は、明治一六年の工部美術学校の廃止、同一〇年代後半の国粋主義の台頭によって、洋画同様冬の時代に入るのだが、「彫刻」という語そのものは、比較的スンナリと普及していったらしい。

明治一三年大森惟中、石川光明らが集まって毎月開いた品評会は、伝統彫刻系の人々の会だったが、翌年彫刻競技会と改称され、一九年には総会と第一回彫刻競技会が開催される。翌二〇年には、会名を東京彫工会として、年一回の彫刻競技会の開催が決定された。

また二二年に開校した東京美術学校にも、絵画科、美術工芸科とともに彫刻科が置かれ、「彫刻」の名称が定着する。各科の内容は、新伝統主義のフェノロサ、天心の方針により、当初、絵画科は日本画のみ、美術工芸科は金工・漆工、彫刻科は木彫のみという構成だった。

「彫刻」の語は、西洋美術への対応から生まれたことばではあったが、字義からすればむしろ伝統的な木彫にふさわしいことばだったことが、スムーズな普及をうながした一因ではなかったかと思われる。

この語でむしろ違和感をきたしたのは、洋風彫刻の方だった。石や木を彫りこんでいくカービングの彫刻は問題なかったのだが、粘土でこねあげていくモデリングの塑造は、この語でカバーできなかったからである。それを問題にしたのが、大村西崖（おおむらせいがい）だった。

大村西崖の主張

西崖は、明治二七年『京都美術協会雑誌』二九号に「彫塑論」を発表し、西洋彫塑を含む彫刻一般に対する名称としては、「彫刻」よりも「彫塑」の語の方がふさわしいと唱えた。[13] ここで「塑」の字を採用したのは、天平仏の乾漆（かんしつ）の塑造（そぞう）技術によったものと思われる。また「彫」と「刻」の中から「彫」の方をとったのは、古来〝彫仏〟〝彫工〟といったように、「刻」より「彫」の方に歴史的な重みがあったという判断からと思われる。

大村西崖は、東京美術学校彫刻科の第一回卒業生（明治二六年七月）だが、卒業後は美術史研究に転じ、東洋日本美術史の研究に大きな役割をはたした人物である。森鷗外との親交から一九世紀のドイツの美学哲学者ハルトマンの美学を学ぶ一方、仏教学者、漢学者でもあった。「彫塑」の語の提唱には、こうした西崖の美学的・美術史的、そして漢学的素養が生かされているといえる。

その後、明治二九年東京美術学校に西洋画科が新設されたのに続き、三二年には木彫のみだった彫刻科にも「塑造科」が新設された。教授になったのがイタリア留学者の長沼守敬だったことが、学科名に「彫刻」でも「彫塑」でもなく、「塑造」の語が使われた一因かもしれない。

また翌三〇年には、東京美術学校の在学生・卒業生を中心に、青年彫塑会が結成されている。

以後、「彫刻」「彫塑」（あるいは「塑造」）という概念用語が普及していく。ただ、「彫刻」の語が古今東西の彫刻に対して広く用いられたのに対して、「彫塑」は洋風のものに多く使われてきた傾向が強い。

内国勧業博覧会での出品区分名称でいえば（表2参照）、第一、二回（明治一〇年、一四年）では「彫鏤」や「鋳造」だったものが、第三、四回（二三年、二八年）では「彫刻」となり、第五回（三六年）で「彫塑」となっている。

第二次大戦後の現代美術では、さらに「立体」の語が新たに作られ（ただしこれは必ずしもいわゆる彫刻にはとどまらない）、これらの諸語が併用あるいは使い分けられながら現在にいたっている。

5 「工芸」という包括概念

「たくみ」の芸

これまで見てきたように、「美術」や「絵画」「彫刻」の語は、いずれも西洋美術への対応によってみずからを再編・新生していこうとする、能動的な行動から作り出された概念だった。きわめて意志的かつ明快で、わかりやすい。それに比べ「工芸」の場合、概念形成の指標があいまいで、西欧美術への対応からというより、結果的にそうなったという印象が強い。

その原因としては第一に、西洋美術における工芸が、絵画や彫刻に比べて低く位置づけられており、概念再編の指標とするには弱かったこと、第二に、こちらの方が重要なのだが、新生の「絵画」「彫刻」以上に、「工芸」が日本美術の史的実態に広く深くかかわっていたことが考えられる。

では、「工芸」と「美術」「絵画」「彫刻」は、互いにどのような関係にあるのだろうか。「絵画」「彫刻」の語が、素材・技法・形式などを具体的に想起させるのに対して、「美術」「工芸」の語は、それ自体はいずれもかなり抽象的な概念用語である。おそらくはこ

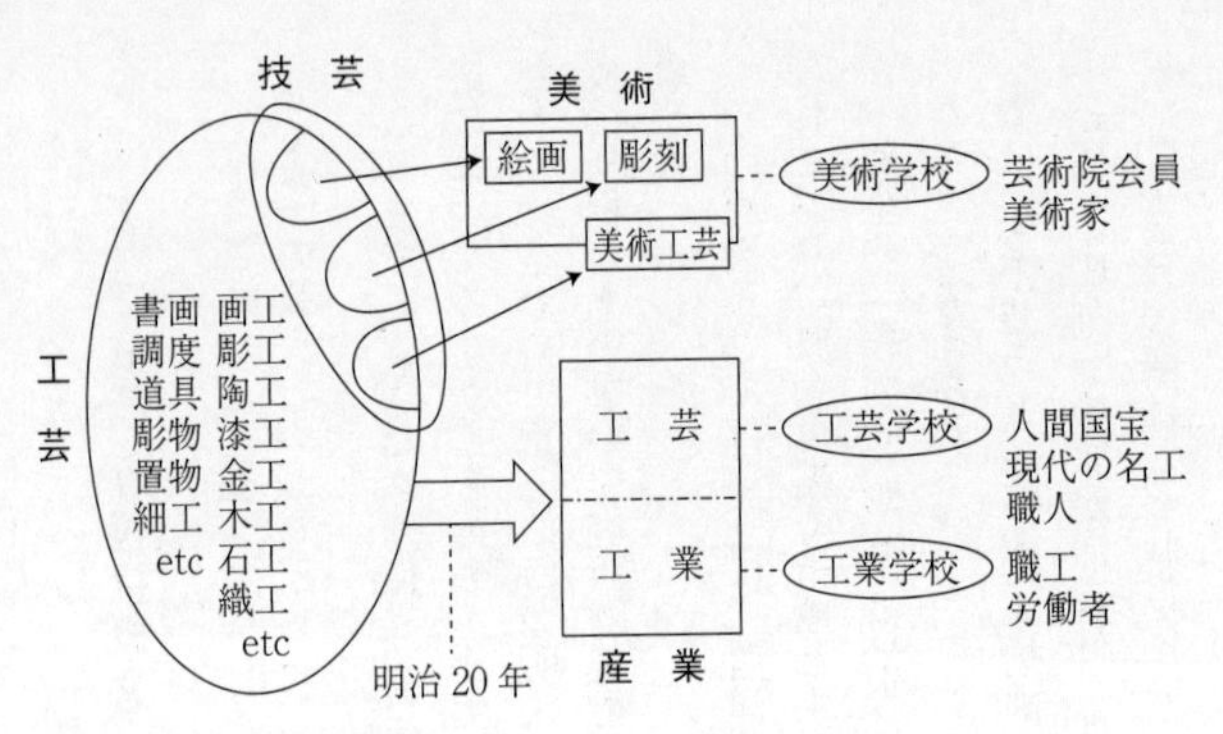

図3

こに、一つのカギがある。

ここで「工」「芸」の字義を見ておくと、「芸」は、すでに「藝術」のところで触れた通りである。「工」は、「二」が天地、「|」がその間に立つ人を意味する。そこから「工」では、人が天地の気を受けて規矩ある意となり、〝巧飾〟を本義とした。一説には定規をかたどったものともいい、これからも精確で数理的な意味あいの強い技術用語であることがわかる。「工学」「工作」「工事」「工業」などの「工」は、まさにこの「工」である。

それが「藝」とくっついて「工芸」となると、製作にかかわる技術、工作にかかわる〝芸術〟を意味した。この「工芸」という語は、『唐書』にもすでに認められる。[14]

また定規を持つ者は製作者であることから、「工」は上手、達者な技術者という人の「たくみ」の意味にもなる。この意味では、「工」「人」「匠」

が類義語になるが、これらの語の違いは、意味の違いというより、それを使った時代の違いらしい。「人」は周、「工」は唐、「匠」は明代に多用されたものといい、日本では主に唐例に従ったことになる。

〝美術家〟〝芸術家（いまふうの）〟の概念がまだない江戸時代までは、画家も「画工」（あるいは絵師）、彫刻家は「彫工」（あるいは彫師）などの名でよばれていた。ジャンルにかかわらず、彼らは基本的に「工（たくみ）」だったのである。したがって「工芸」は、「工」にかんする「芸」というだけでなく、「工（たくみ）」の「芸」とよみとることもできる。

そうだとすれば、「工」の芸、「工」の芸としての「工芸」こそが、実は「美術」成立以前の絵画・彫刻も含む最もマキシマムな包括概念たりうるものといえる。人・素材・技術ジャンルで言うなら、「画工」「彫工」「陶工」「漆工」「金工」「木工」「石工」「織工」など、モノそのもののよび方で言うなら、「書画」「調度」「屏風」「掛軸」「道具」「彫物」「置物」「細工」などといったところだろうか。

近代以降はそこから、西洋美術への対応として作り出した「絵画」「彫刻」「美術工芸」をぬき出して、新たな包括概念「美術」として上位に位置づけ、それ以外の残った部分が、「工芸」になったと考えられるのである（図3）。

ところが、かつて包括概念としての広がりと基盤を持っていたためにかえって、「工芸」の行く末は複雑なものになった。さらにそこから二分化、三分化していったのである。

美術工芸または工芸美術

まず明治二二年に開校した東京美術学校に、絵画科・彫刻科とならんで「美術工芸」科が置かれた。

ここでの「美術工芸」とは、〝美術と工芸〟の意味ではなく、〝美術としての工芸〟の意味である。このことは、第一に「工芸」だけでは「美術」にはならなかったこと、そのため第二に、「工芸」に「美術」を付けて「美術工芸」とすることで、工芸における「美術」を作り出そうとしたことを示している。

それをより明快に示しているのが、同年九鬼隆一（くきりゅういち）が提出した帝国博物館構想（開館は翌二三年）である。[15] ここで九鬼は、それまで九部あった博物館の組織を次の四部構成とすることとし、各部名に次のような英語を付記している。

歴史（ヒストリー）
美術（ファインアート）
工芸美術（アートインダストリー）
工芸（インダストリー）

翌年の開館時には、工芸美術が上下ひっくり返って「美術工芸」となり、歴史部、美術部、美術工芸部、工芸部の四部で出発した。この美術部の最初の部長になったのが岡倉天心だが、構想を発表した九鬼自身は官僚だから、この構想の実質的な発案者は、天心と考えてほぼ間違いない。

ここでの「工芸」は〝インダストリー〟、まさに産業（工業）である。「工芸美術（美術工芸）」も〝アート〟のしかし〝インダストリー〟だから、「美術」を付けて「工芸」を美術の領域に引き上げたにせよ、同じ美術の中では、絵画・彫刻に比べて一段低い位置づけだったことは否めない。

ただともかくもここで、〝美術〟としての「美術工芸」と、〝産業〟としての「工芸」とが分離されることになった。時期的には、明治二〇年代に入ってのことである。

ところがこれに続いて問題になってくるのが、「工芸」と「工業」の分離であった。

工業

そもそも明治初年以降、「工芸」と「工業」の語は、ほとんど同義的に使われてきた。のちに両者は、前者がいまでいう「工芸」、後者が大量機械生産の「工業」の意味に帰着するのだが、いまだ機械技術が未発達な明治一〇年代までは、いまいう「工芸」も、〝手工業〟としての「工業」と実質ほとんど違わなかったからである。というより、機械大量生産の状況がまだなかったのだから、機械による「工業」の実態の方がまだなかったと言うべきかもしれない。

そうした状況は、明治二〇年代に入っても続いている。二三年の第三回内国勧業博覧会で、第一部「工業」、第二部第四類「美術工業」となっているものが、二八年の第四回ではそれぞれ「工芸」「美術工芸」とそっくりそのまま「工芸」にひっくり返っている（表2）。

ここでの意識は、「工芸」か「工業」かではなく、「美術」か否かにあった。この美術との区分意識は、明治一〇年代からすでに現われ始めている。第一、二回の内国勧業博覧会では、「工芸」「工業」製品は第二区「製造物」に出品されているのだが、一四年第二回では、そうした製品の中で「美術を示すものは第三区（「美術」）」と記されており、美術と産業（工芸、工業）を区別しようとする意識が認められる。

しかし工芸と工業は、同じ産業としてまだ同類であった。そしてその概念区分をうながしたのは、実は理念定義そのものではなく、機械大量生産の実現と、それを促進するための工業学校（および工芸学校）などの整備といった、きわめて現実的、機構的な状況変化だったように見える。

国内の産業は、内務省主導の民活方式の採用以降、順調な成長を続けていた。その究極の目標は、輸出拡大による国力の増強にあったが、機械産業（工業）が未発達な中での輸

工業学校	
明治二十年	金沢工業学校
二十三年	東京工業学校
二十八年	栃木県工業学校
二十九年	大阪工業学校
三十一年	佐賀県立佐賀工業学校
三十四年	東京高等工業学校
	大阪高等工業学校
	石川県立工業学校
	愛知県工業学校
三十五年	大分県立工業学校
三十六年	佐賀県立有田工業学校
三十八年	名古屋高等工業学校
三十九年	熊本高等工業学校
	大阪市立工業学校
工芸学校	
明治二十七年	京都市美術工芸学校
	富山県工芸学校
三十一年	香川県立工芸学校
三十五年	京都高等工芸学校
四十年	東京府立工芸学校
大正十年	大阪市立工芸学校
十一年	東京高等工芸学校

表3

出品の主力は、はじめ銅や茶、生糸といった農鉱業の原材料だった。そうした中で工芸品も、一九世紀後半の欧米の熱狂的な日本美術ブーム〝ジャポニスム〟の需要を背景に、在来技術での生産が可能な〝手工業製品〟として、重要輸出品目の一つとなっていたのだった。

ところが明治一〇年代なかば、濫造による品質低下のため輸出が低迷する事態が起こった。これに対処するため、政府は同業組合準則（一七年）などを発して組織化と立てなおしを図り、一〇年代後半から再び輸出は伸びていった。この状況を保持しさらに促進するため、二〇年ごろから各地に設立されたのが、各種の工業学校である。

表3は、それらの中から学校名に「工業」という名のつくものだけをいくつか拾い出し

たものである。ここからも、それまで技術移植に追われていた機械生産が、いよいよ自立生産の軌道に乗っていくこと、さらにそれを教育システムで支えるための機構整備が進められていくようすがわかる。とくに産業の成長にとっては、明治二七年の日清戦争、三七年の日露戦争の勝利が大きなはずみとなった。前者を機に軽工業、後者を機に重工業が、それぞれ自立的発展へと向かうのである。工業学校が、二〇年代の中でも日清戦争後から三〇年代に急増するのは、そうした状況を反映している。

こうして明治二〇年代から三〇年代を通じて、機械による大量生産が実現した。近代的な機械工業の成立である。ここではじめて、手工生産の「工芸」と機械生産の「工業」という概念分類も成立したのだった。ただここで、後者に「工業」の語が定着した語義的判断の根拠については、「工」よりむしろ「業」の語の方にポイントがあった。

「業」という語は本来、中国古代の雅楽の楽器・鐘磬(しょうけい)を懸ける大版のことで、書写の版などもすべて「業」と言った。これから転じて版を使う仕事の意味になったという。つまり「業」の語には、型による規格生産のニュアンスが含まれていたのである。これが以後、手工の一品ずつの器物制作に「工芸」、機械大量生産に「工業」の語があてられる語義的判断の根拠になったように見える。

工芸に残されたもの

さてこうして、包括概念だった「工芸」の中からまず「美術工芸」、次いで「工業」が分離され独立していった。これらが優先的に成立した理由としては、「美術工芸」は「美術」という西欧概念への制度的対応として、また「工業」は現実的な産業力の強化として、振興の力点がおかれたためと考えられる。

ところがここでも「工芸」は、指標のあいまいさとかつての包括性のゆえに、「美術工芸」と「工業」の間で、自己規定に苦慮することになる。

概念の成立と学校の設立は、相互補完の関係にある。「美術」という概念ができて「美術学校」ができ、「工業学校」ができたことで「工業」概念も成立した。ここで「美術工芸」は美術学校、「工業」は工業学校が担当する機構的分担も成立する。ところが表3で「工芸学校」の成立を見ると、初出が明治二七年で他を除けばその成立はかなり遅く、数も少ないことがわかる。

しかも「工芸学校」は、その後「高等」をつけて「高等工芸学校」となることで、「工業」ではなく「美術工芸」の方に接近していったようすがうかがわれる。ここでかつての工芸は、概念上「美術工芸」「高等工芸」「工芸」「工業」の四つに分類されたことになる。

しかし「高等」をつけて「高等工芸」としてなお、それは「美術工芸」ではなかったわけだから、「高等工芸」と「工芸」は、「美術（工芸）」でも「工業」でもない、中間のあいまいな存在だった。工業学校でも「高等工業学校」が作られたが、それはもはや「美術」へではなく、科学技術への接近をはかるものだった。

ところが工芸にとっては、さらにやっかいな状況が起こった。

そもそも「美術工芸」「高等工芸」といった分類は、あくまで工芸の中での質的分離を意図した言い方だった。しかし、「絵画」「彫刻」といった「美術」の他のジャンルに対して言うときには、わざわざ「美術工芸」と言わなくても「工芸」で事は足りた。こうした状況は明治三〇年代ごろからすでに始まっている。

昭和期に入って増えてくる絵画、彫刻、工芸の複合ジャンルによる美術団体では、むしろ「工芸」の語で設定されており、時代が下るにつれてその傾向は強まっていく。

そしてここで「美術」がとりはずされた結果、「工芸」をめぐる議論は、逆に再び「美術工芸」「高等工芸」「工芸」が混同されることになったように見える。そもそも概念規定があいまいで機構が先導してきた各種「工芸」が、分離の努力とはうらはらな状況へ逆行したわけだ。「工芸」は美術か産業か、視覚芸術か実用品かという問題設定は、分離と逆行の両方を前提にした意識であり、〝用の美〟といった言い回しは、両者を折衷(せっちゅう)した言い方ともいえる。

しかし絵画や彫刻にくらべて工芸の場合、「美術」としての「美術工芸」は文部省、〝産業〟としての「工芸」は農商務省が担当してきた制度史的な背景を、はるかに重く引きずっている。「美術工芸」「高等工芸」「工芸」の分離も、機構整備によって保障されたことからすれば、「工芸」論の焦点はさらにそれ以前の問題に設定しなければならないだろう。「工芸」の質的定義ではなく、「工芸」という概念の枠組そのものが問題なのである。

階層美術としての「技芸」「工芸」と「美術」

先に「工芸」という語こそが、「美術」概念形成以前の美術の実態を総括しうる可能性のある概念であることを述べた。ところがそう考えるときの最大の問題は、明治以前に「工芸」の語が一般的に使用されていたようすがないことである。

前述のように、中国では「工芸」の語はすでに『唐書』に現われている。ところが日本でそれが一般的だったようすはなく、工業の意味と同義的に現われる最初が、明治三年工部省が設置される際の「工部省を設くる旨」の次の一文とされる。[16]

西洋各国ノ開化隆盛ナルモ、全ク鉄器ノ発明、工芸ノ進歩ヨリ成レリ、是ヲ以テ、工芸ハ開化ノ本タル者トスベシ

明治一八年、産業たて直しのために農商務省が出した布達の「工芸の沿革[17]」でも、工芸と工業は同義である。

ではなぜ「工芸」は、それまで一般的用語たりえていなかったのか。この問題は、実は

一見美術と関係なさそうに見える前代の身分制度（正確には階級制）と関係しているように見える。さらにそれが、近代の「美術」の制度的実態にも流れこんだように見えるのである。

「工（こう）」の芸、「工（たくみ）」の芸としての「工芸」は、職能的実態で言えば、その大部分が江戸時代の身分制「士農工商」の中の「工」の階級に属するものだった。

ただ職能と身分制は、必ずしも一致してはいない。同じ絵画の中でも、浮世絵師の多くは「工」の人々だったが、幕府に仕えた御用絵師狩野派の画家は、武士身分を持っていた。その支持基盤も、前者が庶民階級（農工商）だったのに対して、後者は武士階級である。

つまり江戸時代における美術は、私たちが今考えるようなジャンルとしてではなく、社会階層に結びついた階級美術として機能していたと考えられるのである。その点、「工芸」ということばは、明らかに庶民、中でも「工」の階級を強く連想させるものだったと思われる。士農工商を説明した西川如見（にしかわじょけん）の『町人嚢（ちょうにんぶくろ）』（一七一九年）では、「工は諸職人なり」として「職人」の名でこれを呼んでいる。これが、庶民の仕事の「工芸」を、とりたてて意義づける必要を生じさせなかった理由ではないかと思われる。何らかの意義づけをともなう用語や概念は、多くの場合制度側から、あるいは制度・体制側のものに対して行なわれたのである。

こうした視点から近代の「美術」を見てみると、それが前代の支配階層の美術をベースに形成されたようすが、はっきりと見えてくる。たとえば、「美術」の拠点となった東京美術学校の教授陣の布陣を見てみよう。

当初日本画だけだった絵画科の場合、橋本雅邦・狩野友信・結城正明（そして開校直前に歿した狩野芳崖）は、いずれも旧御用絵師狩野派の出身で、山名貫義も同じく幕府に仕えた大和絵の御用絵師住吉派の出身である。また彫刻科（木彫）の竹内久一は古仏研究家、高村光雲は仏師、石川光明は宮彫出身で、美術工芸科の加納夏雄（金工）は幕府御用をつとめた後藤系の人物だった。

つまり、武家や公家、および仏教美術系の人物が中心を占めているのである。このことは、「絵画」「彫刻」「美術工芸」という西洋移植のジャンル体系を基本的枠組としながら、その中身には、旧支配階級の美術と宗教美術をあてたようすを物語っている。そもそも「美術」の制度的確立を推進した新政府の人々じたい、武家・公家の出身者であった。いわば日本における「美術」概念は、西欧の制度を表に、前代の身分制や階級性を裏にして成立したといえる。

こうした二重の価値観は、以後、近代美術の生成に関しては、前者の西洋美術のジャンル枠の方が優先していくことになる。しかし古美術の評価においては、後者の価値観の方が優先したように見える。古社寺の宝物調査やその指定、あるいは「日本美術史」の編纂では、絵画・彫刻と同等に工芸品が重用されているが、それらはいずれも皇室や公家・武家・仏教関係のものであり、ジャンルというより歴代の支配階級の美術がとりあげられているのだ。同じ絵画でも、庶民の浮世絵が以後長く冷遇されたのは、まさに逆の現象といえる。

では、職能的には「工」に属すにせよ、こうした支配階級の美術を表示しうる概念用語はなかったのか。現時点での仮説として言えば、「技芸」がそれにもっともふさわしいように見える。

その参考となるのが、明治二三年皇室の宮廷美術家制度として設置された帝室技芸員制度に「技芸」の語が使われ、絵画・彫刻・工芸各ジャンルの作家が任命されたことである。この制度は、革新系の岡倉天心らが東京美術学校を設立したのに対抗して、保守系の日本美術協会が伝統美術の保護を宮内省に上申して実現したものだった[18]。新派が文部省を権力的バックアップとして獲得したのに対して、旧派は宮内省に庇護を求めたのである。

この制度は、当初「宮内省工芸員」(明治二一年)として始まり、すぐに「帝室技芸員」と改められたものだった。おそらくこの改称は、「工芸」の語が持つ庶民階層イメージと、「工業」との混同を払拭(ふっしょく)するためだったのではないかと思われる。

そしてそこで「技芸」の語が選択されたのは、この制度が伝統の〝保護〟を目的とし、それを支えるのが皇室だったことから、皇室がらみの歴史的用語の中から最もふさわしい、あるいは少なくとも違和感のない用語が選ばれたためと思われる。おそらく「技芸」は、その条件を満たすに十分なものだったのだと考えられる。

「工芸」概念の成立に関しては、今後も「美術」概念の形成も含め前代を視野に入れた総合的視点からの再検討が必要だろう。現在すでにそうした作業は着手されつつあり[19]、工芸論が工芸にとどまらない日本美術の根底にからむ議論に発展することが予想される。

第三章　ジャンルの形成――「日本」をめぐる論争

1 森鷗外反駁す

論争によるジャンルの移植と形成

さてここまでは、「美術」「絵画」「彫刻」「工芸」など、もっとも基本的なジャンルの形成について見てきた。

本章では、それに次ぐ各論レベルとしての「日本画」「洋画」、あるいは主題に関する「歴史画」「裸体画」「風景画」といった、ジャンル用語の主だったものについて、その成立状況を見てみよう。[20]

「ジャンル」という語は、もともとフランス語だが、英語で「ジャンルペインティング genre painting」といえば、風俗画のことをさす。しかし、いま普通に「ジャンル」用語と言っているもの、あるいはそれ風に使われているものも、実際には分類基準によっていくつかのカテゴリーに分けることができる。いくつかの分類基準から思いつくままに列挙してみると、次のようになる。

主題……仏画、頂相(ちんぞう)、似絵(にせえ)、肖像画、景物画、山水画、風景画、花鳥画、走獣画、浮世

絵、風俗画、歴史画、人物画、美人画、裸体画、自画像等

素材……水墨画、水彩画、油絵、漆工、陶磁器、金工、金銅仏、木彫、檀像（だんぞう）等

形状……絵巻、掛軸、障屏画、天井画、襖絵（ふすまえ）、扉絵、杉戸絵、扇面画、版画、絵画、彫刻、工芸、平面、立体等

技法……絵画、彫刻、工芸、似絵、白描画、写生画、素描、着彩画、コラージュ、映像、インスタレーション、CG等

文化圏・地域……唐絵（からえ）、漢画、大和絵、和画、南蛮美術、蘭画、洋風画、西洋画、洋画、日本画、東洋画、フランス美術、イタリア美術等

時代……原始美術、古代美術、中世美術、近世美術、近代美術、現代美術等

主義・概念……文人画、南画、北宗画（ほくしゅうが）、ゴシック、ルネサンス、マニエリスム、ロココ、ロマン主義、ジャポニスム、象徴主義、キュビスム、前衛美術、抽象美術等

あくまでこれは恣意的な分類にすぎないが、複数の分類基準にまたがるものも少なくないように思われる。

これらのうち、先にあげた「日本画」「洋画」、「歴史画」「裸体画」といった主要なジャンル概念は、結論から言うと、明治二〇年代を中心とする時期に成立している。その成立は、明治二〇年すぎの国家体制の完成にともなってさかんに行なわれた、日本絵画の将来

外山正一

はいかにあるべきかを問う議論と密接に関係していた。というより、そうした議論を通じて成立したものだった。

その中で一つの重要なポイントになった論争が、明治二三年の外山正一の講演「日本絵画の未来」と、それに対する森鷗外の一連の反論である。この論争は、「日本画」「洋画」概念の成立だけでなく、主題のジャンルとそのヒエラルキーの形成にも大きな影響を与えた。しかもこれがジャーナリズムを介した論争だっただけに、問題の社会的周知やジャンル用語の普及にも、大きな役割を果たすことになる。

論争の実質的な内容は、ジャンルの問題というより、新時代の日本絵画が描くべき主題の選択や規定をめぐる美学論争というべきものだった。むしろ絵画全般にわたる議論と規定だっただけに、そこからさまざまな概念用語が形成されたといえる。

外山正一の講演

まず外山の三時間におよぶ講演は、明治二三年四月二七日、帝国大学（現・東京大学）小石川植物園内会議所で開催された明治美術会第二回大会で行なわれた。このとき外山は帝国大学教授で、明治美術会の幹事でもあった。明治美術会の会頭は、同じ帝国大学の総長渡辺洪基（わたなべこうき）である。この第二回大会には清国大使、イタリア公使、榎本武揚（えのもとたけあき）文相らも出席したといい、政府レベルの催事だったことがわかる。折りしもこの年は、前年の帝国憲法発布をうけて帝国議会が開設された年である。外山らの自校で行なわれたこの第二回大会は、まさに国家レベルで美術の未来を語るにふさわしい場だったといえる。

この講演で外山は、現在の本邦絵画が、「日本画」「西洋画」の二大流派の五里霧中にあること、しかし重要なのは二大流派の選択ではなく、何を描くかという画題の選択にあると説く。その画題には、「宗教的」「天然的」「歴史的」「肖像的」「人事的」なものがあり、史的変遷としては、東西ともにはじめは「宗教的」画題が多く、次いで「歴史的」「天然的」「肖像的」画題がふえ、最も新しく「人事的」画題が多くなるとする。そしてこれからの絵画は、「人事的ノ画題」をとり、「思想画」として描くべきだと説いた。

ここでの画題は、まだ単なる画題であって、ジャンル用語として使われているわけではないが、すでにその一歩手前にある。それを外山への反論という形でジャンル用語にまとめあげたのが、ドイツ留学から帰ったばかりの森鷗外だった。

鷗外は外山の講演を直接聞いたわけではなかったらしいが、それが新聞や雑誌に掲載さ

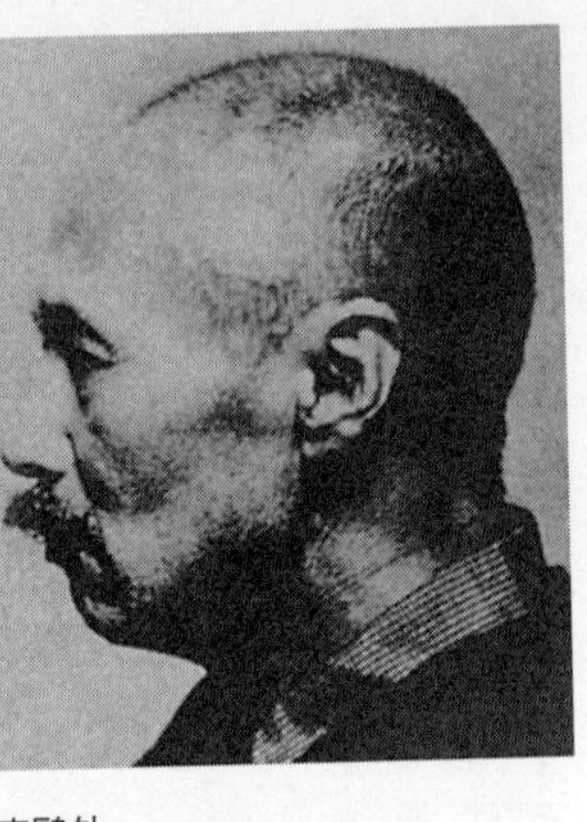

森鷗外

れると、[21]まず長文の論文「外山正一氏の画論を駁す」を発表する。鷗外のほかにも林忠正（はやしただまさ）らが反論したが、外山が沈黙をきめこんだため、鷗外は「美術論場の争闘は未だ其勝敗を決せざる乎」、「外山正一氏の画論を再評して諸家の駁説に旁及す」[22]と、執拗に論戦をしかける。しかし結局外山は沈黙を押し通したため、大方の見方としては鷗外優勢のまま、論争は沈静化した。

この頃の鷗外は、この論争の前哨戦ともなった演劇をめぐる外山との論争や、坪内逍遙との「没理想」論争など、血気さかんにあちこちで論戦を挑んでいた。この論争での鷗外も、強引ながら明快な日本絵画の未来像を示そうとした外山に対して、別の指針を示すというよりは、外山の論理的矛盾を突くことの方に圧倒的な熱意が注がれている。この論点のズレは鷗外も気づいていたらしく、反論をくり返しながら鷗外自身論点を整理し、やがて、彼の意図が画題論争ではなく、すべての出発点たるべき美学論にあることを表明するにいたる。[23]

鷗外の役割

しかしジャンルの成立に関して、ここで鷗外が果たした役割として大きかったのは、彼自身の意見そのものよりも、反論の中で鷗外が外山の論を図式的に分類・明示し、規定してみせたことだった。ここで外山の言う画題も、ジャンル用語へと脱皮していく。

まず鷗外は、「外山正一氏の画論を駁す」の中で、外山が言う「人事画」を「風俗画」のことであろうと逆に定義し、その上で、外山の論を鷗外なりの解釈で次のように整理してみせた。

人事画＝風俗画―（高風俗画＋民業、遊覧、人災等の図）

つまり風俗画には、公家や武家の生活風俗を描いた〝高風俗画〟、庶民の仕事や生活を描いた〝民業〟、祭事や遊覧・事件などを描いた〝遊覧〟〝人災〟等があると言っているのである。

さらに、絵画の概念的分類について図4のように図式化し、それを画題と結びつけると図5のようになるだろうとする。ここにおいて、「風俗画」「宗教画」「歴史画」「動物画」「静物画」「景画（風景画）」「肖像（画）」といったジャンルの概念と用語が、ほぼ出そろう

- 絵画
  - 感納的段階画（模倣画？）
    - 形状画（装飾画？）
    - 活動画
    - 情緒画（単純情緒画）
  - 思想的段階画
    - 思想画（複雑思想画）

図4

- 絵画
  - 非美術画（工芸画）（古今邦画）
    - 感納的段階画（模倣画）
      - 形状画（装飾画？）
      - 活動画
      - 情緒画（単純情緒画）
    - 感納的段階画材
      - 宗教画
      - 歴史画
      - 動物画
      - 静物画
      - 景画
      - 肖像
      - （人事画）
  - 美術画（今後邦画）
    - 思想的段階画
      - 思想画（複雑思想画）
    - 感納的段階画（模倣画）
      - 人事画
      - 歴史画
      - 動物画
      - 静物画
      - 景画
      - 肖像

図5

ことがわかる。

　また「外山正一氏の画論を再評して諸家の駁説に旁及す」では、〝シャスレル　Max Schasler〟を引用して、図6のような美術に関する〝論美者〟の分類も示している。ここでの「美術史家」ということばも、もっとも早い時期に属す用例ではないかと思われる。ここでは、「美術史」という概念も明確に認識されていることがわかる。ちなみに東京美術学校で「美学及美術史」の講義が行なわれたのも、また帝国大学（現・東京大学）で

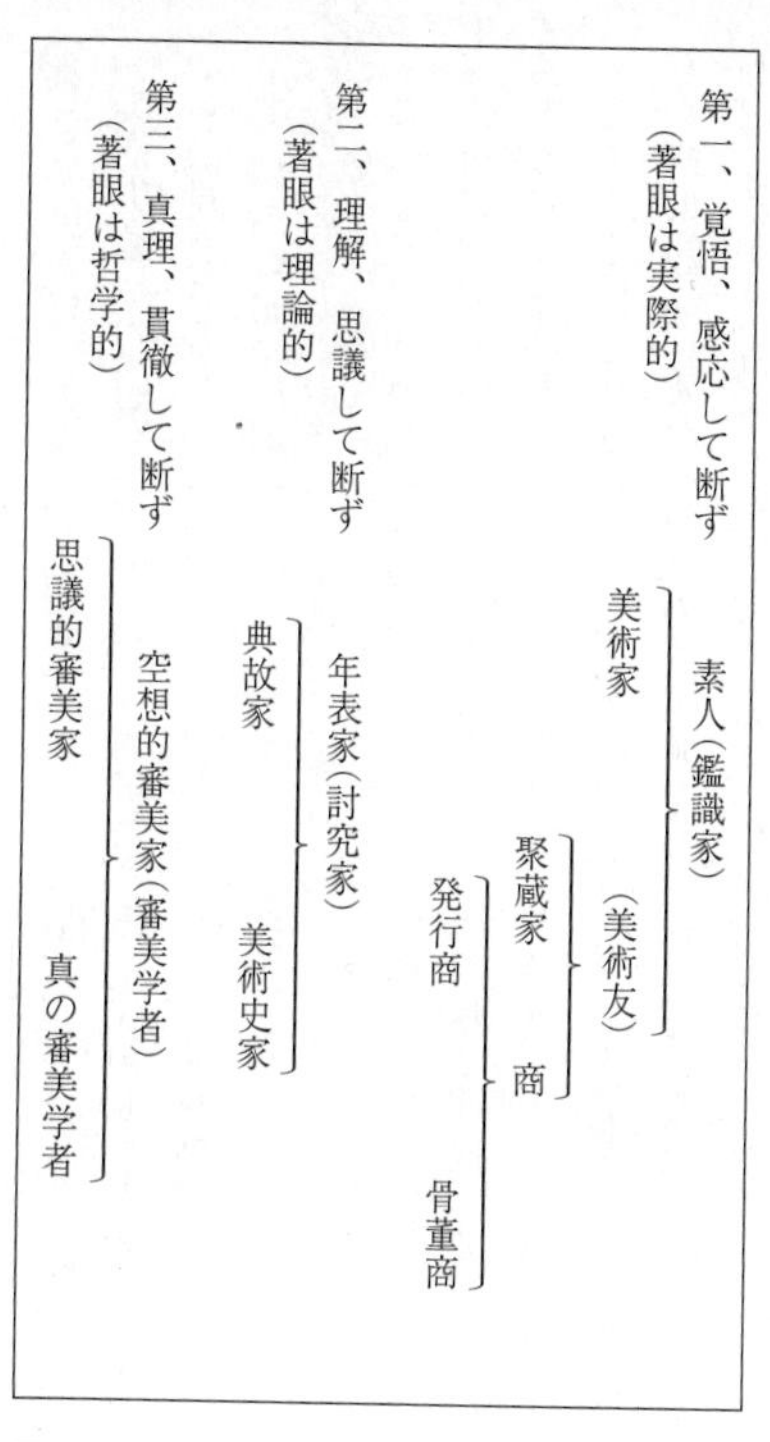

図6

「審美学美術史」の講義が始まったのも、同じこの年からである。

「美術史家」の語の一方で、制作者に対する「美術家」ということばも明治一〇年代後半から散見されるが、そこにも、「美術」という概念の浸透とともに、画工、彫工といった〝工人〟から西洋風のアーティストへの〝昇格〟が行なわれていく過程を認めることができる。

こうして、外山と鷗外の論争（といっても鷗外等の一方的な反論だったが）を通して、基本的なジャンル用語がまず成立する。さらにこれに前後して、のちに触れる黒田清輝（くろだせいき）の作品をめぐる裸体画論争を通じて「裸体画」というジャンル概念も成立する。

ここで注目されるのは、論争の内容もさることながら、〝論争〟という形態が、実質的かつ結果的に、新たな西洋の美術概念を移植する作業として機能していることである。いわばこれが、〝論争〟の史的役割だったともいえる。

それは、西洋のジャンルや画題のヒエラルキーの移植でもあったから、論争の強弱やジャンル成立の早遅は、西洋でのジャンル間の重要性の度合いを反映してもいた。「歴史画」や「裸体画」が大きな論争になったのは、「歴史画」が近代の国家思想、「裸体画」は人間中心の西洋の人文主義に深く根ざしていたからであり、「風景画」が論争にならなかったのは、ちょうどその逆の状況によると考えられる。

外山は彼の美学論の典拠を明らかにしていないのだが、鷗外は「博士は果してラスキン、テエンの旧説と大和錦の記事とを剽窃して併せて其真を謬りし乎[24]」と、手厳しい論評を加えている。

ハルトマン美学の意味

鷗外自身は、ドイツの美学・哲学者ハルトマンの美学を学んだことで知られる。佐渡谷重信氏は『鷗外と西欧芸術』（美術公論社、昭和五九年）の中で、この「外山正一氏の画論を駁す」こそが、このころハルトマン美学に親炙した鷗外の美学的批評の第一声だとする。外山がいた東京大学で美学を教えたドイツ人ケーベル（明治二六～大正三年在職）、大塚保治（明治三三～昭和四年在職）も、ハルトマン系の美学者であった。

明治二〇年代以降の美学の移植に、ドイツ美学とくにハルトマン系美学のはたした役割については、日本美術史との関係からも、あらためて検討の必要があるように見える。もちろんドイツ本国でのそれとの異同より、日本での移植経緯とその波及効果についてである。というのも、明治三〇年代以降の東洋日本美術史編纂に大きな役割をはたした大村西崖が、鷗外との親交を通じてハルトマン美学を学んでいるからである。西崖の東洋日本美術史の検証は、移植美学の美術史への投影が、どのように行なわれたのかを知る好例となるだろう。

以上のように、外山と鷗外の論争を通じて、基本的なジャンル用語と概念が成立する。

それに論理的整合性を与えたのは鷗外の方だったが、日本絵画が何を描くべきかという具体的な画題選択の点で、時代をよく言いあてていたのは、むしろ外山の方だった。

それを端的に示しているのが、外山が明治三二年の読売新聞「懸賞東洋歴史画題募集」で一等を受賞していることである。その画題とは、「建速須佐之男命(すさのおのみこと)が所命給へる国を知らずして御妣の国根之堅洲国に罷らむと欲して哭き給ふ状」という、日本神話に取材した擬古的な歴史画だった。

このことは、将来の日本絵画が描くべきだとした外山いうところの「思想画」が、具体的には「歴史画」だったこと、そしてその「思想」とはまさに国家思想だったことをよく示している。歴史画こそは、近代ナショナリズム、国家思想を具現する画題だったのである。

では次に、主だったジャンル概念の成立状況を、順に見ていってみよう。

2 対(つい)概念としての「日本画」「西洋画」

合わせ鏡

ここに日本画と洋画をならべたのは、それぞれの内容を比べるためではない。両者が、二つで一セットの対概念として成立したことを見るためである。

日本画と洋画は、西洋美術に対する日本美術の葛藤を、もっとも劇的に示すものとなった。表現上の実態より何より、その存在じたいに対して、「日本」「西洋」という文化的な帰属を示すシンボリックなことばが冠せられたからである。学問の世界でも明治初年、新政府での主導権をめぐって、漢学、国学、洋学者の間に激しい政治的闘争があったが、美術の世界でそれが最も明瞭な形であらわれたのが、日本画と洋画だったと言える。同時にそれは、美術のさまざまなジャンルの中で、絵画が西洋美術への対応の中心にあったことを示してもいる。

北澤氏の「『日本画』概念の形成にかんする試論」によれば、日本画と洋画が相対概念として現われはじめるのは、明治一〇年代後半である。「日本画」の語がはじめて現われるのも、明治一五年フェノロサが龍池会で行った講演「美術真説」(小冊子として刊行)で使われた、Japanese painting (picture) の翻訳語としてだった。伝統絵画を示す「日本画」じたいが、西洋からのイメージ(英語)の反転(翻訳)として成立したのである。[25]

そして「日本画」「西洋画」の相対構図が成立したのは、すでに触れたように明治二〇年代に入ってからだった。それは国家体制の確立と〝美術の制度化〟の完成を背景としていた。ここでは、二〇年代が美術雑誌の草創期だったこととも重なって、日本画、洋画の存在がジャーナリスティックな話題として取りあげられ、論争状況を呈しながら社会的に普及していく。
次いで明治三〇年代には、両者は合わせ鏡的な分立、併存、調和の状況へと向かい、四〇年に開設された文展に「日本画」「西洋画」の両部が設定されたことで、両者は制度的にも定着することになった。
北澤氏によれば、「日本画」の形成は、伝統文化の存続の危機感から「民族のアイデンティティーを索めて伝統と近代の整合をはかろう」としたものであった。同時にそれは「絵画の普遍性への模索」でもあり、「日本的であるという衣をかぶった欧化主義運動だった」という。[26]
以上が、北澤氏の論説の概略である。この展開構図を念頭におきながら、あらためて「日本画」「洋画」概念の成立を追ってみよう。

「和」「漢」「洋」から素材・技法名称へ

江戸時代にあって絵画を分類する二大概念としてあったのは、〝和漢〟の分類だった。〝和〟の絵画については、「大和絵、日本絵、和画」などの語があったが、いずれも読みは「やまとえ」だった可能性が高い。一方〝漢〟については、「唐絵、漢画」などの語があった。
この二大分類をもう少し細分化して言うときには、狩野派、土佐派といった〝家〟制度と結びついた流派名称が用いられた（ただこの流派名称は、社会的な組織集団の名称だから、絵画に限られているわけではない）。

そしてこの〝和漢〟の二大分類に加えて、西洋絵画および洋風画を示す「西画、油画、蘭画」などの語があった。司馬江漢の「西洋画談」（一七九九年）を、「西洋・画談」ではなく「西洋画・談」と読むとすれば、「西洋画」の語も現われていたことになるが、これはやや曖昧だ。

江戸時代のこうした相対概念の構図は、〝和漢〟プラス〝洋〟であり、概念規定のベクトルの力関係でいえば、〝漢〟が主、〝和〟が従、〝洋〟がこれに付加される関係にあったといえる。

明治になって「日本画」「洋画」の対概念が成立した段階では、それが〝西洋〟が主、〝日本〟が従となり、〝漢〟にかわる〝東洋〟がこれに加わる構図となる。〝日本〟があくまで対外的な相関関係から自己規定されている点では同じだが、江戸から明治への分類名称の変化には、明らかに日本における世界観の変化が強く作用している。

ただ、〝和漢〟の二大分類から、明治二〇年すぎの「日本画」「洋画」の二大構図への移行が、直接かつ直線的に行なわれたわけではもちろんない。しかも興味深いことに、紆余（うよ）曲折（きょくせつ）したその移行経緯にむしろ、その後の日本画、洋画が背負うことになる表現上の便宜的〝規定〟があらわれてくるのである。

明治維新後、明治一〇年代なかごろまでの間、西洋系美術と伝統系美術の間に、とくに目だった軋轢は見られない。またこの間、和画、漢画といったことばも、官設の展覧会や博覧会ではほとんど使われていない。ではどのような分類名称が使われていたのか。まず、明治一〇年第一回内国勧業博覧会の第三区美術第二類書画では、次のような内容になっている(表2)。

第二類　書画
其一　紙、布帛等へ墨書セシ書画、各種水絵具ノ画、及ビ石筆、烏賊墨(いかすみ)、白堊筆等ノ画
其二　粗布、片板等ニ描キシ油画
其三　織出シタル書画
其四　蒔絵、漆画、焼絵等
其五　陶磁器、七宝、及ビ金属ノ画

ここで其三〜五は、絵付(えつけ)のある工芸品、絵画的要素を含む工芸品ということだろう。絵画が「百技の長」とされながら、実質的には工芸品生産の補助として位置づけられた殖産興業下の絵画のありようを、端的に示す区分である。

其一、二がいわゆる絵画である。しかしあまりに無機的な素材・技法名の分類で、ちょっと具体的にイメージしにくい。簡単に言えば、其二が洋画の油絵で、其一に水墨・彩色の日本画と油絵以外の洋画がみな一緒に放りこまれている（石筆……鉛筆デッサンなど）。明治一四年の第二回の分類も、基本的に同じである。

この一、二回の内国勧業博覧会では、流派名は、分類区分でも出品目録のなかでもほとんど使われていない。それどころか、たとえば「水墨画」なら水墨画、「彩画」といえば大和絵系の濃彩の日本画、「水彩画」は淡彩水溶性の日本画と洋画の水彩画、洋画のデッサンは「墨画」といったように、徹底して素材・技法による表記が行なわれている。日本画、洋画の区別より、素材・技法の分類に、すべてが無理やり分解されているのである。なぜこうした現象が起こったのか。

時代状況からすると、この明治一〇年代前半までは、欧化政策と文明開化の延長上にあって洋画が隆盛した時期である。ただこの時期、洋画の水彩画はまだあまり描かれなかったため（水彩画〔「水絵（みずえ）」〕の隆盛は明治二〇年代以降、とくに三〇年代）、西洋絵画のイメージはほぼ油絵に集約されていた。西洋絵画イコール油絵だったのである。高橋由一（たかはしゆいち）が著述を『油画史料』としたのも、またフェノロサが「美術真説」で「日本画」に実際には「油絵」を対比させているのも、そうした背景によるものだろう。

ただ「油画（絵）」の語そのものは、素材名称である。この時期、万博や内国勧業博覧会の出品規定では、伝統的な掛軸も額装で出品することを求めるなど、ことさらに西洋式に合わせようと努力したようすが窺われる。おそらくは絵画においても同様に、「油画（絵）」を基準にそれに合わせた分類表記をしようとしたために、伝統絵画も素材・技法名に分解されたのではないかと思われる。この点、用語分類を起生する力の起点が、「油画（絵）」の側の方にあったことを示している。

流派名称から「日本画」へ

ところが、国粋主義が台頭しはじめる明治一五年に開催された第一回内国絵画共進会では、出品区分名称に一転して伝統的な流派名が使われた。この共進会では、洋画の出品が拒否される。

第一区　巨勢、宅間、春日、土佐、住吉、光琳派等
第二区　狩野派
第三区　支那南北派
第四区　菱川、宮川、歌川、長谷川派等
第五区　円山派
第六区　第一区ヨリ第五区迄ノ諸派に加ハラサルモノ

一七年の第二回共進会でも、第六区までは同じで、新たに次の第七区が加えられている。

第七区　新ニ機軸ヲ出シ別ニ見解ヲ開キタルモノ

明治一〇年代前半の無機的な素材分類名から、一〇年代後半のこの流派名への転換には、明らかに国粋主義の台頭が背景にある。

そしてこの国粋主義が、「日本画」概念の形成に直接的、現実的な力として作用したことは、先に「日本」の項の所で述べた通りである。

したがって「日本画」概念の成立までは、次のような順序をふんだことがわかる。まず江戸時代の和漢と流派が、明治初年の西洋化の中でいったん無機的な素材・技法名に分解されたのち、明治一〇年代なかばからの国粋主義の台頭によって、再び流派名にもどる。そして二〇年前後のナショナリスティックな「日本」意識の形成によって、伝統諸流派も大きなナショナリズムの枠に取りこまれ、そのまま「日本画」として統合されたのであった。

ここで注意しなければならないのは、この「日本画」の成立をもってはじめて、「油絵」も「西洋画」として成立したことである。つまり、普通言われるように「西洋画」の登場によって「日本画」が成立したのではなく（時代環境としてはその通りだが）、文化圏用語の「日本画」が成立してはじめて、素材用語の「油絵」も文化圏用語の「西洋画」へと移行したのである。ここでの用語生成の力の起点は、素材・技法名のときとは逆に、今度は「日本画」の方にあったのだった。

こうして伝統絵画は、国家の全面的バックアップを意味する「日本画」という国民絵画として、新たに再編されることになった。しかしその実態は、すでに身近にあった絵画の総称が変わっただけだったから、この時点で「日本画とは何か」という定義づけは必要なかった。「日本画はいかにあるべきか」という未来論は重要だったし、事実さかんに行なわれたわけだが、「日本画」じたいの定義論は、ここでは必要なかったのである。必要があったとすれば、むしろ新来の「西洋画」の方だったかもしれない。

岡倉天心でさえ、明治二〇年の帰朝講演で、日本絵画の進むべき道について、

第一　純粋の西洋論者
第二　純粋の日本論者
第三　東西並設論者即ち折中論者
第四　自然発達論者

の四つの選択肢をあげ、第四の道を唱えている。[27]「日本画」の定義どころか、逆に自由でいいと言っているのである。

そもそも「日本画」への統合を実現した力と論理は、芸術理念ではなく、あくまで国家思想であった。「日本画」は、「日本」の国家・国民の絵画としてその存立じたいは絶対的な保障を獲得しながら、あるいはそれゆえに芸術理念上の定義づけは行なわれなかったのである。

「蘭画」「油画」から「西洋画」へ

では一方の洋画は、どのように「西洋画」になったのかについて、簡単に見ておこう。

現在、江戸時代の西洋系絵画に対しては「洋風画」の語が使われているが、これは「洋画」の語の成立後、派生的に生まれたものである。秋田蘭画研究者の武塙林太郎氏の談によれば、第二次大戦後の蘭画研究の中で使われはじめたはずだという。

当時は、先にも触れたように「西画」「蘭画」「油画」などの語でよばれていた。しかし「西画」は文明圏、「蘭画」は国名（オランダ）、「油画」は素材による名称である。「西画」と「蘭画」が同義だったのは、鎖国下の日本の西洋イメージが、西欧唯一の貿易相手国オランダとほぼイコールだったからにほかならない。西洋学が「蘭学」の名でよばれたのも、同じ理由である。

また当時の人々が目にできた西洋絵画は、量的には油絵のタブローよりも版画や挿絵の方が多かったはずだが、「油画」の語でそれを代表しているのは、油彩画が西洋絵画の中心であることを認識していたことを示している。

西洋学の「蘭学」が「洋学」の語に変わったのは、開国翌年の安政二（一八五五）年幕府に「洋学所」が設置されて以降と考えていいだろう。このことは、西洋情報のソースと対象が、オランダから西洋諸国一般へと拡大したことを示している。

同じことが、少し遅れて「蘭画」から「洋画」への変化についてもいえる。

まず、岩橋教章（いわはしきょうしょう）が明治六年のウィーン万博を視察してまとめた「洋画見聞録」（明治八年）では、タイトルの「洋画」は西洋絵画の意味で使われている。

ところが、これに続く明治一〇年代には、「洋画」や「西洋画」の語は驚くほど少なく、「油画（絵）」の語が大半を占めている。先にのべた素材・技法用語の重用は、洋画に対する日本画だけでなく、洋画じたいにおいても認められるのである。

しかし明治一〇年代も終わりに近くなる頃、一九年の坪内逍遙の「美とは何ぞや」では、「西洋画」の語が使われている。[28]

そして用語変化上大きな画期となったのは、やはり国家体制が確立した明治二二、三年あたりである。ここでは、北澤氏が指摘するように、ジャーナリズムが大きな役割を果たした。〝論争〟とその社会的周知が、結果的に用語の形成と定着も促したのである。

明治二二年の市島金治（いちじまきんじ）「日本画の将来如何[29]」では、

> 此立派なる此美麗なる日本画が将来果して西洋画と競争して需要者を得る丈けの価値を有するものなるや否や

と、「西洋画」「日本画」の語で両者を対置している。

　また大きな論争となった翌二三年の外山正一の講演「日本絵画の未来」でも、本邦当代絵画の〝二大流派〟を、「西洋画」「日本画」の語で対置している。この時点で、「西洋画」「日本画」という概念の相対的な対置構図も、ほぼ完成したと見ていいだろう。

　以後、明治二九年東京美術学校に「西洋画科」が新設され、翌三〇年には日本画の美術団体「日本画会」が結成される。三六年の第五回内国勧業博覧会の出品区分では「洋画」「日本画」の語が使われ、四〇年に開設された文展（ぶんてん）（文部省美術展覧会）では、「西洋画」「日本画」の語が使われた。

　こうして「西洋画」は、「日本画」の相対概念として成立し、制度に支えられながら展開していくことになる。

「日本画」と「西洋画」

さて、以上のような経緯で、「日本画」「西洋画」の相対概念が形成された。しかしここで、二つの素朴な疑問がわいてくる。

まず第一には、いったん素材・技法名に分解された諸絵画が統合される際、その分類名称に、なぜ「日本」「西洋」という文化圏用語が選ばれたのか。第二に、しかしその際、「日本」は一国の国名、「西洋」は多国による文化圏（あるいは文明圏）だから、相対概念としては実は正確に対応していない。「西洋」に対してなら「東洋」であり、「日本」に対してなら「フランス」や「イギリス」などのはずだ。

まず第一点から考えてみよう。

一九世紀という時代は、西欧列強の世界進出によって、世界中いたるところで異文明・異文化の接触と衝突が起こった時代である。人類学や言語学、西洋中心の世界史が形成されるのも、異文化接触によるところが大きい。一九世紀が〝視覚〟の時代で写真が大きな意味を持ったのにも、未知の世界の情報伝達には、文字より何より視覚情報、とくに状況をありのまま切り取る写真が圧倒的な有効性を持っていたことが、無関係ではなかったはずだ。それは好奇心を満たす手段として以上に、国際戦略上の情報手段として、世界認識や世界観の形成にも絶大な威力を発揮したと考えられる。これによって従来の世界観は、根底から再編されていく。

開国まもない日本にとっても、西欧との接触は、まさに異文明との出会いといえる衝撃の事件だった。いまでこそ私たちは当時を歴史の一通過点として見るが、その時点での西欧は、日本の将来（あるいは存亡まで）を左右する存在であり、国語を英語にする案なども、当時の状況の中ではそれなりにリアリティのある選択案だったはずだ。

西欧にとっても日本の開国は、伝説の国ジパングが現実の存在として国際社会に登場した一つの事件だった。ジャポニスムの熱狂は、新たな幻想としての一面はぬぐえないまでも、確かに日本への強い関心を反映していた。

そうした中で来日した外国人は、多くがその専門分野にかかわらず、日本に対して文化的、人類学的、民族学的、民俗学的、植物学的な関心を抱いている。多くの美術工芸品から民具、植物標本などまでを収集したシーボルト、エドワード・モースなどはその典型である。

一方日本でも、明治八年の福沢諭吉の『文明論之概略』や、英文で書かれた岡倉天心の『東洋の理想』（明治三六年）、『日本の覚醒』（三七年）など、文明論的な世界・東洋・日本論が行なわれている。つまり、文明論的な世界認識の中で、「日本」の規定が行なわれているのである。そのようにして「和」「漢」の世界観は、「日本」「西洋」という新たな世界観へと再編されていったのだった。

旧来の絵画を統合したものに「日本画」、新来の絵画に「西洋画」という文明圏用語を冠したのには、こうした当時の文明論的な世界認識とそれによる自己規定の意識が、決定的に作用したと考えられる。これが第一点の理由である。

ところがその際、つまり「世界」の中で「日本」を相対規定する際、日本は「西洋」をイコール「世界」と見なし、〝脱亜〟〝入欧〟をもって〝国際化〟とした。福沢諭吉の「脱亜論」（明治一八年）は、その理論武装といえる。

したがって日本にとっての「西洋画」は、そのまま「国際絵画」と同義の意味あいを持っていた。「西洋画」と「日本画」は、西洋と日本という対比だけでなく、世界と日本（あるいは世界の中の日本）、国際絵画と国民国家絵画としての意味あいを、併せ持っていたのである。

これが、第二点の「日本画」に対して「西洋画」が対置された理由と考えられる。

定義なし

さらにここから、「西洋画」「日本画」の理念定義が行なわれなかった理由も見えてくる。「西洋」が「世界」と同義とされたのは、「西洋」が世界の中心と見なされたからに外ならないが、近代化と国際化を進めようとする日本にとって、「西洋画（＝国際絵画）」は学ぶべき対象であり、前提とすべき価値基準だった。わざわざ前提を問い、定義づけを必要とする存在では、学ぶべき対象にならなかったと考えられる。

ではなぜ一方の「日本画」の定義も行なわれなかったのか。それが説明不要の身近で既存の存在だったこと、「日本画」への統合を促したのは芸術理念ではなく国家論理だったことについては、すでに触れた。つまり統合は、芸術の問題ではなく政治の問題だったわけだ。

この国家主義が定義を不問に付したことについて、もう少し見てみよう。

明治二〇年代に「日本画」概念が成立したのちも、「日本画」に関する現状論や未来論はあっても、定義論は長く行なわれることがなかった。これは全く驚くべきことだが、むしろその事実にこそ「日本画」概念の鍵があるように見える。つまり定義されなかったというより、定義を必要としない〝所与〟のものであることが重要だったのだ。

「中国」という語が〝中心の国〟〝我々の国〟の意味だったように、また西洋もみずからの美術を「西洋美術」とは言わないように、中心意識を持つ文化は、みずからの定義を必要としない。同様にナショナリズムも、みずからを中心とする思想である。「日本」が神代からすでにあった存在であることを強調したように、「日本画」も〝所与〟のものでなければならなかったのである。「歴史」や「伝統」は、ナショナリズムを背景に、そうした〝所与〟の擬装のもとに実は〝創出〟されたのであった。

したがって「日本」も「日本画」も、またそれに相対する「西洋」も「西洋画」も、そもそも最初から実態の定義はなかったことがわかる。まさにそれは「共同幻想」だったのだ。[30] 現在さかんに行なわれている「日本」あるいは「日本画」とは何かを問う議論が、なかなか有効な答えを見出せないのもこのためと考えられる。

そしてここで「日本画」であることの基準として、水彩・膠彩(こうさい)・屏風・掛軸といった素材・技法・形状的要因が持ち出されているのも、理念定義がなかったから逆に、即物的要因が基準であるかのように機能しているのだと考えられる。

これについては、「日本画」概念成立までの前史を思い起こしてみると面白い。明治初年以降、既存の絵画はいったん素材・技法名に分解され、次いで流派名が復活し、それが「日本画」に統合された。しかし理念定義のないまま展開してきた「日本画」の基準になったのが、結局その移行過程で現われた素材・技法分類だったことになるからである。移行段階のうち、その後の歴史で完全に消滅したのは、むしろ流派名の方だった。素材分類が、即物的な分だけ美術がどのように変化してもそれなりの対応性と汎用性を持ちえたのに対して、家制度を背景とした流派名称は、結局時代の変化にも美術の変化にも、対応できなかったのだと考えられる。

日本一国対世界

また先にも触れたように、「日本」と「西洋」は、概念単位としては対応していない。

しかもここで、「西洋」イコール〝世界〟と設定したわけだから、近代以降の「日本」は、一国で世界を相手にすることになった。

オリンピックで次々に重圧に敗れていく日本選手を見ていると、この一国対世界という近代日本の世界観が、現在もなお続いていることを痛切に感じさせられる。緊張でこわばった選手の表情には、たとえば参加国一九〇カ国中の一国、つまり一九〇分の一ではなく、一国で一八九カ国を相手に戦おうとする重圧がひしひしと感じられる。しかも国家のためとも家族のためとも言えず、アメリカ風に自分のためにオリンピックを楽しみたいと言っても、世界スポーツの頂点という自負に支えられたアメリカの個人主義とは、基本的に背景が違う。またステートアマとしてのかつての共産圏の個人とも、国家や貧しい同胞の希望のためという第三世界の国々の個人とも違う。支持背景を持たず、しかし絶対的な〝個〟としても確立していない個人意識でたたかう姿は痛々しくさえあり、オリンピックの敗北を個人の精神力に帰すのは、あまりに酷に見える。基本的にそれは、近代以降の「日本」の世界観に根ざしているのであり、「日本」意識そのものの本質的な問題なのだ。

日本絵画の成立

さてこうして、明治二〇年代に「日本画」「西洋画」の相対的な概念構図が成立する。

ただ成立当時の「日本画」と「西洋画」は、いまいう近代日本絵画としての「日本画」

「洋画」とは、少し事情が違っていた。「日本画」はほとんど「日本絵画」の意味と同じ意味で使われ、また「洋画」は「西洋画」と言われる方が普通だった。つまり基本的な意識構図として成立したのは、正確に言えば「日本絵画」対「西洋絵画」という意識構図で、いまいう近代絵画としての日本画と洋画は、まだそれに付帯的に従属あるいは内包されていたのである。できたばかりでまだ歴史がなかったわけだから、当然と言えば当然だった。また「絵画」という語自体もできたての用語だったわけだから、「日本絵画」「西洋絵画」と「日本画」「西洋画」の区別が曖昧だったのも無理はない。

後述するように、「日本画」「洋画」が近代のそれに限定されるようになったのは、ほぼ第二次大戦後である。したがって明治期の「日本画」「洋画」の語を、いまふうに近代の日本画・洋画と読みとったのは、むしろ戦後の意識解釈だったといえる。

いまでも辞典類で「日本画」の項目を見ると、日本絵画、近代日本画の二つの意味が記されていることが多い。これも戦前・戦後における二つの意味を引いているためと考えられる。「中国絵画」や「西洋絵画」を縮めて「中国画」「西洋画」と言うことはよくあるから、同じように「日本画」を「日本絵画」の短縮形と考えてもおかしくはない。ただこの場合、洋画も「日本画」に含まれることになってしまう不都合が生じる。

一方、「洋画」の語はもっとややこしい。

西洋体験を書いた岩橋教章の「洋画見聞録」（明治八年）の「洋画」は西洋絵画の意味

だし、明治二九年東京美術学校に新設されたのは「西洋画科」だった。三六年第五回内国勧業博覧会では「洋画」、四〇年開設の文展では「西洋画」である。

大正期に入っても、再興日本美術院に設置されたのは「西洋画」、国画創作協会に洋画が新設されたときは「洋画」(大正一四年)と、ほとんど名称はバラバラである。バラバラというより、「西洋画」と「洋画」はほとんど区別されていないと言った方がいい。

官設展では、文展以後も帝展、新文展を通じて「西洋画」で一貫しており、戦後の日展でも長く「西洋画」の語が使われ続けた。日展の場合は前例としてこれが踏襲された感が強いが、「洋画」の語に変わったのは、驚くことに昭和五〇年の第七回改組日展からである。

しかしそもそも「西洋画」という語そのものの言語的な意味は、あくまで〃西洋絵画〃の意味である。西洋風のしかし日本絵画であることを示す内容はどこにも含まれていない。英語などでいうときには、西洋絵画はWestern Painting、日本洋画はJapanese Western Style Paintingと使い分けている。しかしあくまで日本洋画はWestern Styleとなるわけだから、日本洋画の独自性というときにはOriginality of Japanese Western Style Paintingという、はなはだ矛盾した言い回しになってしまう。

日本語で「西洋画」「洋画」と言う場合、そうした矛盾は表面化していない。ただそこには〃日本絵画〃の意味も言語的には含まれていないわけだから、同じ語によって西洋風のしかし〝日本絵画〟であることを示すのは、語彙の言語機能ではなく、日本の文化状況の中での相対的な社会認識によっていることがわかる。

同じことが、近代以前の中国との関係における「唐絵」「漢画」にもいえる。これらの語も語意そのものは〝中国絵画〟の意味だが、それによって中国絵画と、それ風の日本絵画の両方をさしていた。

ただ、当の西洋や中国では自分たちの絵画を「西洋絵画」「中国絵画」とは言わないわけだから、こうした言い方は、基本的に中心に対する周辺地域の呼び方であることがわかる。そのようにして周辺地域は相対的に自己規定したのだともいえる。

中国文字の意味である「漢字」も、当の中国では「字」としか言わないという。同じ漢字文化圏の日本で、中国とはすでに用法や書き方の違った漢字を「日本漢字」と言うことがあるが、この場合も字義としては日本の中国文字 Japanese Chinese Character と言っていることになるから、ちょうど「日本洋画」と同じ言い回しであることがわかる。

つまり、「西洋画」「洋画」「唐絵」「漢画」などの語で西洋系・中国系の日本絵画も示しうるのは、そうした認識と判断を支える相対的な文化状況が日本の中に成立しているからである。その場合、各語に相対する一方の概念が必ず成立している。「西洋画」「洋画」に対する「日本画」、「唐絵」に対する「大和絵」、「漢画」に対する「和画」などがそれだ。

相対的に決まる用語

しかもこうした相対概念は、美術以外の分野にも広く見られる。同じ単語でも、たとえば「洋画」なら、絵画では日本の洋画をさすが、映画の分野で言えば、日本映画の「邦画」に対する西洋の映画をさすことになる。音楽の「邦楽」なら、日本国内だけの枠組で言えば琴や尺八を使ったいわゆる邦楽になるが、西洋との関係の中で言えば、西洋の「洋楽」に対するより広い日本音楽の「邦楽」になる。レコード店の「洋楽」「邦楽」だ。

つまり同じ単語でも、その意味する対象や内容は、各時代、各分野での相対的な関係によって決定されているのである。しかもその用語においては、それと相対する概念や、それが用いられた時代、その文化状況までが、かなり限定されることがわかる。これらの語が意味しているのは、絶対概念ではなくあくまで相対概念なのだ。

しかも、江戸時代までの外来文化の日本化を「和様化」、近代以降を「日本化」と言うのも、「和様」には「唐様」、「日本」には「西洋」が暗に対置されているからである。ここで「和様化」と「日本化」の間にも時代的な対置性があることからすれば、文化状況における相対性は、横切りの同時代だけでなく、タテ軸の歴史の中にも設定されているといえる。

したがって、戦前まで「日本絵画」・「西洋絵画」「西洋画」の語と類義的に使われた

「日本画」・「洋画」の語が、戦後、近代日本絵画に限定されるようになったことは、「日本絵画」対「西洋絵画」という対置構図とは別に、新たに「近代美術」対「現代美術」という時間的なタテ軸の対置構図が成立したことを意味している。これについては後述する。

ただ補足しておかなければならないのは、こうした戦後の状況は、いわばいまふうの用法が確定したという意味であって、それ以前にそうした用例がなかったということではない。

西洋風の絵、即ち洋画

黒田清輝(くろだせいき)が明治三九年に言った「西洋風の絵、即ち洋画」[31]という説明的な言い回しは、「洋画」を日本洋画の意味で使い始めているようすを窺わせるし、四三年に日本画の菱田(ひしだ)春草(しゅんそう)が書いた次のことばも、同様の状況を示唆している。[32]

現今洋画といわれている油画も水彩画も又現に吾々が描いている日本画なるものも、共に将来に於ては——勿論(もちろん)近いことではあるまいが、兎(と)に角(かく)日本人の頭で構想し、日本人の手で製作したものとして、凡(すべ)て一様に日本画として見らるる時代が確かに来ることと信じている。

〝現今洋画と言われている〟とか〝日本画なるもの〟といった言い方は、それがごく新しい用法でまだ定着したものではないことをうかがわせる。

ただこの春草のことばは、文展の開設で日本画・洋画がともに制度的保障を獲得し、両者の分立・共存が確定した時期のことばとして読むと面白い。春草は、そうした分立はおかしいと考えていたのであり、それゆえに日本人の描いたものであればすべて「日本画」とよぶべきだと考えたわけだ。

ここで春草が結論づけた「日本画」は、実質的にはいまの「日本絵画」の意味である。それを春草が「日本画」の語で総括しようとしたのは、日本画と洋画の主導権争いが背景にあるからか、あるいは「日本絵画」と「日本画」の用語的な未分化性によるのか、なおあいまいだ。

菱田春草

しかし結果的に見れば、その後の展開は春草の予想に反した。「日本画」と「洋画」は分立したまま定着し、春草が予想した「日本画」には「日本絵画」の語が当てられたのだった。

「東洋画」の論理

高校生か大学生の頃だったろうか、テレビで初めてスポーツのアジア大会を見た時、イスラエルやトルコなど中近東の国々が参加していることに不思議な感じがした。その時はじめて、自分がアジアや東洋を、東アジア・黄色人種というイメージで考えていたことにも気づかされた。

しかしその後も何となくモヤモヤした疑問が残ったままになっていた。そもそも、アジアと東洋、オリエントはどう違うのか。英語でいうAsia, East, Orientとの関係はどうなっているのか。

現在『東洋の理想』（明治三六年）と邦訳されている岡倉天心の英文著作の原題は、"The Ideals of the East"である。この本の冒頭は、有名な一文Asia is one.（アジアは一つ）で始まる。つまりここでは、The EastとAsiaと「東洋」がイコールで結ばれている。天心が中近東までを〝アジアは一つ〟とは考えていなかったろうから、ここでのアジアや東洋は、私たちが普通にイメージするインドあたりから東の地域のことだろう。そしてこの地域が、ほぼのちのファシズムで八紘一宇（はっこういちう）の大東亜共栄圏とされた地域でもある。それゆえに天心の「アジアは一つ」の一文が、のちにその正当化の理論として引用されることにもなったのだった。

まず順に見てみると、「オリエント」は西欧より東の地域（エジプトも含む）のことで、「東洋」より「東方」の語感の方が近い。中近東という時の「近東」「中東」は、西欧から見た距離のことで、一番遠い所が“Far East”つまり「極東」になる。ただ、当初キリスト教世界に対するイスラム世界をさした「オリエント」に極東の仏教文化圏が加わったのは、のちのことであろう。

「アジア」は、六大州つまりアジア、ヨーロッパ、アフリカ、北アメリカ、南アメリカ、オセアニアの一つで、広義のオリエントとほぼ同じ地域をさす。「アジア大会」に中近東の国が参加しているのも、これによっているのだろう。その点、天心が言った「アジアは一つ」の「アジア」は、このアジアではなく、日本で考える「東洋」の訳語として使ったのだと思われる。「アジア」という語自体、古代フェニキアに起源を持ち、ギリシャ神話から生まれた語だというから、西洋で生まれた地理用語だった。

一番ややこしいのが「東洋」である。辞典でも「東洋」は、①トルコ以東の地域、②アジアの東部と南部、③中国で言う日本のこと、と三つの意味が出てくる。

①は、オリエントあるいはアジアのことだろう。②が、普通私たちが考える東洋とニュアンス的に最もしっくりくる地域である。③は現在でも、中国や韓国で「東洋」（あるいは「東海」）と言えば、東の方の海洋、もしくは海の東の意味から、日本のことをいう。「東瀛（とうえい）」（瀛は大洋の意）も同じ意味で、明治四一年正倉院御物を収録した『東瀛珠光』も、

意味内容としては日本の至宝といった意味になる。

　そもそも中国の世界観は、中華の周囲に東夷、南蛮、西戎、北狄を置いたもので、いわゆるアジアや東洋を総括する用語はなかったわけだから、今日本で言う「東洋」は、あくまで日本で生まれた概念だったといえる。その際、西洋のアジア観の翻訳としての①、中国古来の用法としての③、そして日本が考えた②の意味が、「東洋」の語に全部混入したのだと考えられる。別の言い方をすれば、「東洋」の語義には、西欧、日本、中国それぞれの視線が入り乱れた状態になっているのである。

　そして①〜③の中で、日本自身のアジア観を端的に示したのが、②だった。先の天心の「アジアは一つ」の「アジア」も、大東亜共栄圏もほぼこの②の地域であり、現在私たちが考える「東洋絵画」の範囲も、ほぼこの地域である。

　この地域を一括りとして考えたのには、おそらく文化的、歴史的に関係の深い同類文化圏という判断が日本にあったためと思われる。前代までの概念で下敷きとなったものを捜すとすれば、「三国」だったかもしれない。三国伝来、三国一の花嫁の「三国」、つまり日本・唐・天竺である。明治以降、多くの人々が仏教の源流を訪ねてインドに渡ったのも、そうした関係意識の反映であり、それによってその意識はさらに強化されたのである。

　この三国に東南アジアを加えれば、②の「東洋」になるから、実質的にはほぼ仏教文化圏をもって「東洋」と設定したのだと考えていいだろう。現在日本で国宝や重文に指定されている美術品の中で、外国産の作品は、ほぼこの地域のものである。同類文化圏あるいは相互関係という判断があったからこそ、外国美術品でもこの地域のものは日本の国宝になったといえる。しかもその地域は大東亜共栄圏ともほぼ一致していたわけだから、〝指定〟の作業には文化的親近性の演出という政治的意図もちらついて見える。

ただ逆に言えば、文化的・歴史的関係のある外国美術品でなければ、日本の国宝としては指定してこなかったということでもある。もし西洋美術の第一級の作品が日本に入ってきた場合（所有）、それを国宝とするのかどうか。これまではそういうケースがなかったため問題にならなかったが、美術の価値の普遍性と国家のスタンスを問うケースは、いずれ生じることが予想される。

東洋画と日本画の関係

話を戻そう。

和漢洋から日本・西洋・東洋という世界観に移行した段階で、「日本画」「西洋画」と同様に「東洋画」も生まれることになった。内国絵画共進会の終了を受けて明治一七年に結成された「東洋絵画会」は、その最初というべきものだった。

しかし明治二〇年代に入って「日本絵画（日本画）」が成立すると、美術団体名でもこ とさらに「日本」を冠した団体名が多くなり、「東洋」の語は後退する。まさにそれは、福沢諭吉が「脱亜論」（明治一八年）で述べたような脱亜入欧の意識を、そのまま反映した現象だった。

ここで「日本画」は、「東洋画」の一部としてではなく、あくまで「西洋画」に相対する存在として独立したのである。またそのようにして、みずからを自己規定したのだった。ところが西洋を前提に自己規定した点では、他の東洋諸国も同じだった。

現在日本の美術大学の絵画科は、多くが油画科と日本画科の二部構成になっているが、韓国でも西洋画と韓国画、中国でも西洋画と中国画の二部構成になっている。西洋画とそれぞれのナショナルペインティングとが並立しているわけだ。

しかし、欧米の美術大学でこうした二部構成をとっている所は聞いたことがない。西洋絵画がイコール絵画科である。みずからが中心だからだろう。

一九九五年セントルイス美術館で"Nihonga"展が行なわれたとき、日本画とは何かをめぐるシンポジウムの議論の中で、次のような質問が出た。アメリカやイギリスで「アメリカ画」とか「イギリス画」とは言わないのに、なぜ日本では「日本画」というのか。

それはおそらく、次のような理由による。

西欧で「フランス絵画」「アメリカ絵画」と言う時には、基本的に同じ西洋美術の中の他国の絵画と比べる時にいうことが多い。それに対して日本で「日本画」という時には、同じ東洋圏の「韓国画」や「中国画」を意識しているのではなく、あくまで西洋絵画を対置的に想定している。韓国で「韓国画」、中国で「中国画」という時も同じである。

つまり、「日本画」「韓国画」「中国画」は、あくまで「西洋画」を前提に自国画を規定しているのであり、各国に共通して西洋画科が置かれているのも、そうした意識の反映と考えられる。西洋絵画に対する自国画の意識が、欧米では図7のようになっているとすれば、東洋では図8のようになっていると思われる。

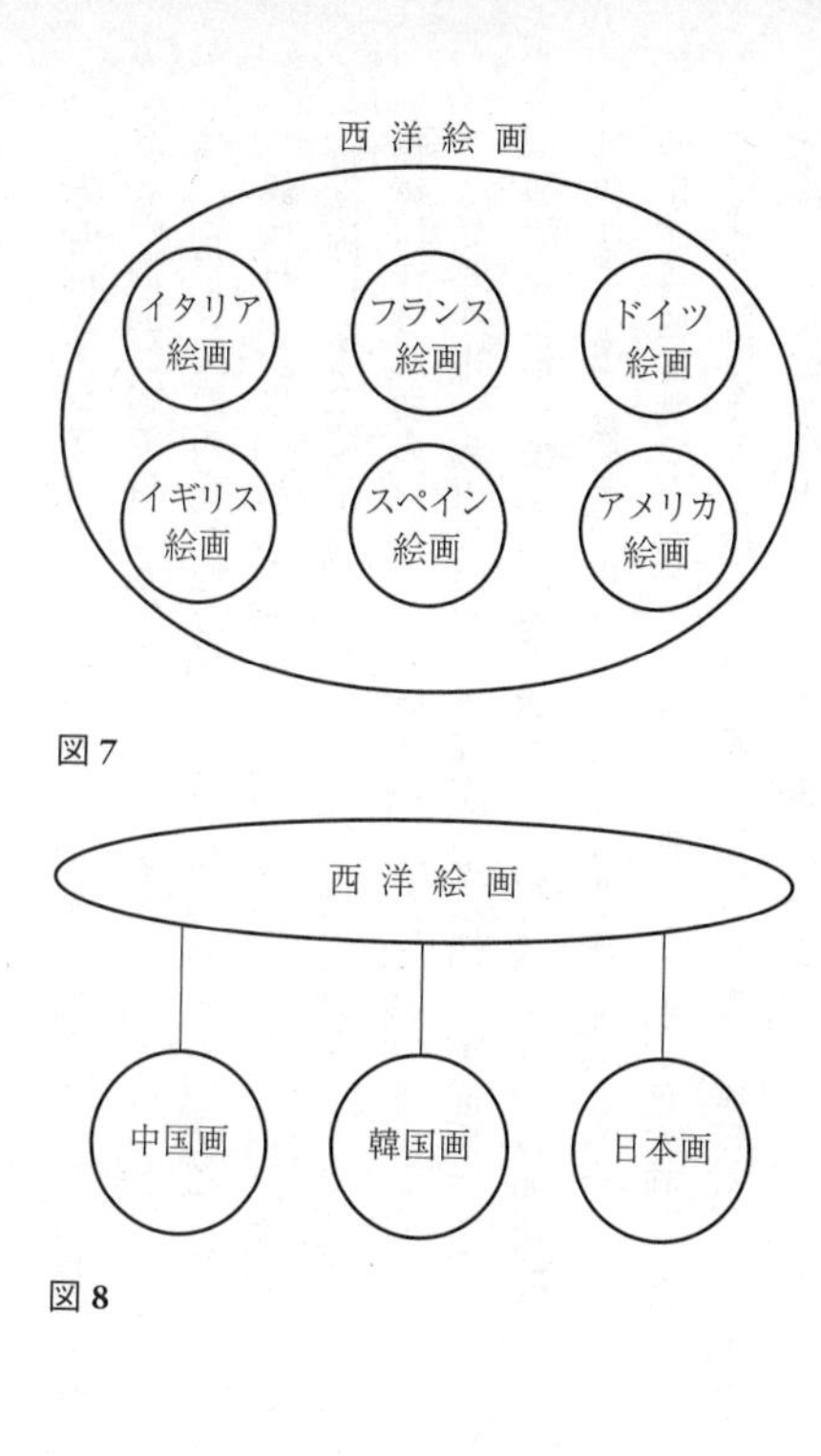

図7

図8

天心は「アジアは一つ」と言ったものの、当のアジア各国は、横の連帯の構築より、西欧との個別対応で自己規定を図ってきたのであった。別の言い方をすれば、近代のアジアは、アジア内での求心性を失った時代だったともいえる。

以後日本では、当代の伝統系絵画をほぼ一貫して「日本画」とよび、ファシズム期まで「東洋画」とよぶことはほとんどなかった。「日本画」は、アジアではなくあくまで西洋を指標に作られたのだった。日本の「洋画」が西洋を指標としたことはいうまでもない。

ただ例外的にあったのが、京都府画学校の「東洋画」科だった。

明治一三年に設立された京都府画学校は、当初、東西南北の四宗からなっていた（西宗は西洋画、南宗は南画、東宗は円山派や土佐派、北宗は雪舟・狩野系）。それが明治二一年に、西宗が「西洋画」となった時点で、他の三宗が「日本画」ではなく「東洋画」とされた。「西洋」に対する「東洋」は、概念単位として正確に対応しており、竹内栖鳳（たけうちせいほう）なども、日本画は「東洋画」とよぶべきだと考えていた。

ここには、中国との長い歴史への尊重と、東京主導で強引に進められる制度化に対して、京都が一定の距離と自治性を保とうとした姿勢を感じさせる。ただ明治二四年には「西洋画」「東洋画」を合わせて「絵画科」としているから、それもわずか三年間だけのことだった。京都もまた時代の波から逃れることはできなかったのである。

3 「歴史画」

国家思想の喚起

前述のように、外山正一と森鷗外の論争の中で、歴史画は新時代の最重要主題として位置づけられるにいたる。しかし歴史画の必要性を説いた論は、ほかにも少なからずあった。岡倉天心は、明治二二年一〇月の「国華」発刊の辞の中で、当代の日本絵画の進むべき道について次のように言う（片仮名は平仮名に直してある）。

能く沿革を繹ね秩序を追ひ日本絵画独立の精神を養ひ、世界普通の運動に応して進化せんと欲するの謂なり。抑々本邦絵画の題旨にして発達の遅鈍なりしものを挙くれは歴史画なり。

ここでまず天心は、日本絵画が歴史性をふまえた独自性と世界性を同時に獲得・達成しなければならないこと、それには歴史画の発達が必要だが、日本ではその発達が遅れていると説く。続けて、

岡倉天心

> 惟ふに国体の観念は未た曾て今日の如く鞏固（きょうこ）なることあることなし。
>
> 絵画の将来を思ふに、仏像は壮麗の旧に復する能はさるへしと雖も、歴史画は国体思想の発達に随て益々振興すへきものなり。

と、かつてないほど国家意識が高まった今こそ、歴史画をさかんにすべきだと説く。

帝国憲法が発布された同じ年のこの天心の一文に、歴史画と国家思想の因果関係と、それが必要な時代環境が集約されている。

「歴史画」を歴史に取材した絵画として広義に解するなら、かつての縁起絵、物語絵、合戦絵といったものも、歴史画に含まれることになる。しかしそれらの多くは、史実というより文学に基づいて描かれたものだった。源氏物語絵や蒙古襲来図などを「歴史画」とよぶのにどこか違和感を感じるのは、「歴史画」という概念が、まさに近代の国家思想と強く結びついた近代概念だからだといえる。

こうした国家思想に裏打ちされた「歴史画」の隆盛は、日本だけでなく、同じように近代国家（国民国家）としての形態を完成した一九世紀後半の西欧諸国に共通するものであった。いわば国家思想、国民意識の喚起と絵解きの象徴として、歴史画が重視されたのである。

「国華」が発刊されたのと同じ明治二二年一〇月に、明治美術会の第一回展を見た大森惟中も、感想として「美術園」一五号（同年一二月）に「歴史画の必要」という一文を書いている。翌二三年の第二回大会で外山正一が「日本絵画の未来」を講演したのも、こうした流れの上でのことだった。

また「歴史画」の成立には、一方で「歴史」つまり「日本史」の成立が必要となる。それを機構で見てみると、東京大学に国史学科が置かれたのは、明治二二年である。また博物館の「史伝部」が「歴史部」となったのも同じ二二年である。博物館はこの年帝国博物館となり、翌年開館した。ここに、「史伝」から考証による「歴史」へという変化を認めることができる。

そして帝国議会が開設された二三年の第三回内国勧業博覧会の会場は、歴史画隆盛の一大頂点を示すことになった。原田直次郎「騎龍観音」（図9）、佐久間文吾「和気清麿奏神教図」（図10）、本多錦吉郎「羽衣天女」（図11）、曾山幸彦「武者試鵠図」（図12）などがその主要作である。また明治二〇年代なかばにかけて明治美術会展に出品された山本芳翠

図9　原田直次郎　騎龍観音
（護国寺蔵）

図10　佐久間文吾　和気清麿奏神教図（宮内庁三の丸尚蔵館蔵）

図11　本多錦吉郎　羽衣天女
（東京国立近代美術館蔵）

図12　曾山幸彦　武者試鵠図
（東京国立博物館蔵）

図13　山本芳翠　浦島図（岐阜県美術館蔵）

「十二支」（二五年）、「浦島図」（二六年、図13）なども、二〇年代の歴史画を代表する作品である。

堅牢な構図とマチエールで描き出されたこれらの作品は、その擬古性とみなぎる力で異様な霊気を発散している。本来文学的な優美さや宗教的崇高さで描かれてきた主題が、ナショナリズムによる壮大な歴史ドラマの異形へと変身していくのである。こうした主題の変形は、国家思想にもとづくきわめて意志的な歴史の読みかえが行なわれたことを、如実に示している。

また教育面での歴史教育について見てみると、明治一九年に教科用図書検定条例が公布され、教科書の検定が始まる。小学校用歴史編纂旨意書では、

児童の教育に在ては歴史を誦習するの際、自然に尊皇愛国の情感を養成せしむるの必要を忘る可らず

とされ、歴史教育は知育より尊皇と徳育の手段として位置づけられている。

二四年の小学校校則大綱では、尋常小学校の日本史は郷土に関する事柄から始めること、また高等小学校では、

成るべく図画等を示し児童をして当時の実情を想像し易からしめるよう、ビジュアルな資料を用いることが指示されている。[33]

こうした動きを受けて、民間でも松本楓湖の『日本歴史画報』が二五年に創刊され、有職故実や武具・衣装などの考証と研究が進んでいく。明治二〇年代は、歴史の研究・教育・普及の体制が急速に整えられた時期だった。ここで歴史画は、尊皇と国家思想教育の重要なメディアだったのである。

高木博志氏によれば、今ではごく普通になった初詣や修学旅行も、尊皇愛国の思潮から始まったものだという。[34] 江戸時代の正月は家にこもるのが普通だったのが、明治二〇年代

以降、宮中の四方拝が民間に広まって始まったのが初詣だという。また日露戦争後にはすでに一般化した修学旅行は、皇室ゆかりの史跡をたずねる学校行事として始まったものだという。歴史画が尊皇愛国・国家思想の視覚教育だったとすれば、修学旅行はいわばその体験教育だったわけだ。

このように歴史画は、国家思想の体現と絵解きとして明治二〇年代以降に本格化する。では、同じく歴史に取材したそれ以前の作品からこうした歴史画への移行は、どのように行なわれたのだろうか。

故実画から歴史画へ

江戸時代までの絵画の和漢の区別は、流派や表現技法の違いとしてだけでなく、主題の和漢としてもあった。もちろんそれは相対的傾向としてであって絶対的なものではないのだが、大和絵は日本、漢画は中国、浮世絵は両方の画題を多く描いている。各派の画家が学んだ学問も、基本的に大和絵の画家は有職故実や日本の古典文学、狩野派は漢学や中国故事に、それぞれ比重が置かれている。

つまり大まかにいえば、大和絵は日本、漢画は中国の古典世界への志向が中心にあったといえる。

またそれぞれの美術は、パトロネージとして大和絵はとくに公家、狩野派は武士、浮世絵は庶民という身分階層とも強く結びついていた。そのため各絵画はパトロンの嗜好や性格を反映して、大和絵は文学性、狩野派は儒教的勧戒性や政治性、浮世絵は庶民絵画としての娯楽性を、それぞれ属性として強く持っていた。

こうした階級制との関係は、学問や思想にもあり、基本的に漢学は武士、国学は町人層を中心に支えられていた。芸能で能は武士、歌舞伎は町人層を中心に支えられていたのも同じである。

漢学、国学はともに思想的、学問的な両面を持っていたが、一八世紀後半になると、和漢の学にまたがる新たな思想が起こってくる。両者の古学派による尊皇論がそれである。いわば尊皇論が、和漢の学や階級を超越する理論として登場してきたのであった。

ただ正確にいえば、両者の尊皇論には違いがあった。国学が、古道にもとづいて天皇を正統権力者としたのに対して、儒学の尊皇論は、天道思想にもとづく政権委任論、つまり幕府は天皇から政権を委任されているという論理のものだった。儒学は幕府の官学だったわけだから、尊皇とはいってもそれが武家支配を否定するものであってはならなかった。幕末の和宮(かずのみや)降嫁による公武合体論は、皇室の権威による徳川体制の強化という儒学派尊皇論の切り札だったのである。

しかしそうした違いがあってなお、各フィールドを横断する論理として尊皇論が出現したことは、近代への流れを考える上で画期となった重要な出来事だった。これを統一国家論への第一段階とするなら、明治以降の尊皇愛国論は、それが現実化した第二段階とも考えられる。

勤王の画家

そしてこの第一段階の尊皇論を絵画で表象したのが、〝勤王の画家〟菊池容斎(天明八〜明治一一年)だった。

容斎は、画技は幕府御用絵師の狩野派に学ぶことから出発し、職業的には徳川将軍警護の徒士として出発する。しかしまもなく家督を子にゆずり、みずからは野に下って儒学、国学の尊皇論を研究した。

そして歴代の勤王忠臣の列伝を図像を付してまとめたのが、明治元年に刊行された『前賢故実』一〇巻である。この書は刊行されると大きな反響をよび、のちに歴史画を制作した多くの画家が、幼少のころに『前賢故実』を学んだことを回想している。

また容斎はこの書を皇室に献上して「日本画士」の称号を受け、明治一〇年の第一回内国勧業博覧会では同書で最高賞の名誉龍紋賞を受賞した。こうした状況は、新政府の側もまだ政権基盤が十分に固まっていない状況下で(この明治一〇年は西南戦争にゆれた年)、同書を対民衆の尊皇愛国の絵解きとして積極的に利用しようとしたようすを物語っている。

同書は序文に記された年紀から刊行まで二〇年以上かかっており、経済的な理由なども

図14　菊池容斎『前賢故実』日本武尊
（東京国立文化財研究所）

言われている。しかし容斎が尊皇の研究活動をしている間も、息子は将軍の徒士をつとめ、維新時には将軍に従って静岡に移り住んでいることからすれば、幕末段階でこの書を刊行するのはかなり困難な身辺状況だったと思われる。明治元年の刊行というのも、王政復古の大号令を機に刊行にふみきったということだったのかもしれない。新政府にとっても、同書がかつて将軍警護の徒士をつとめた江戸市民から刊行されたことは、統一的な国民意識の喚起の点で、大きな利用価値のあるものだったに違いない。

ただ歴史研究の質的レベルの点では、『前賢故実』がのちの官製日本美術史の編纂にからんだ部分はほとんどない。古代神話に取材した日本武尊（やまとたける）の服装なども（図14）、明治三〇年代以降に描かれるそれとはかなり違っており、時代考証が容斎以後に急速に進んだこ

図 15　高橋由一　如意輪堂ニ於ケル小楠公図（東京国立博物館蔵）

とを示している。

こうしたことから、容斎の尊皇論は、江戸後期から幕末までの段階の尊皇論にのっとったものだったこと、そして明治初年の『前賢故実』は、第一段階から第二段階への橋渡し的な存在として、対民衆の尊皇の絵解き役を担ったようすがうかがわれる。ちなみに「勤王の画家」というキャッチフレーズは、当時ではなくのちの昭和初期のファシズム期に付けられたものである。

また尊皇論の伸張とともに、明治前半期にさかんに描かれた主題として、和気清麿（わけのきよまろ）や楠正成（くすのきまさしげ）、菅原道真（すがわらみちざね）といった古代中世の忠臣たちがいる。

ただ楠正成父子の桜井の別れなどは、尊皇論というより人情ものとして江戸時代の歌舞伎などでも人気のあったものだった。あるいは高橋由一の「如意輪堂ニ於ケル小楠公図」（明治二五年、図15）の正行や、狩野芳崖の「仁王捉鬼図」（明治一九年、図16）の仁王のポーズなども、どこか歌舞伎の見得を思わせる。

　つまりこの時期の歴史画には、多分に前代に人気のあった歴史文学の延長上にあることをうかがわせる作品が少なくないのである。史実の考証じたいがまだ移行期にあった明治

図16　狩野芳崖　仁王捉鬼図（個人蔵）

一〇年代までの状況を考えると、これは無理からぬ状況といえる。

文学史からいうと、いわゆる歴史文学には、大きく次の三つがあるという。[35]

一　古代末期（平安）の歴史物語の一群

二　近世の歌舞伎や浄瑠璃（じょうるり）、読本（よみほん）などの歴史的題材の作品群

三　明治以降の歴史小説、歴史劇

これからすれば、明治一〇年代ごろまでの歴史画題は、基本的にこの一、二によるものが多いといえる。三の歴史文学は、明治以降の歴史画とはほとんど関係を持っておらず、それを題材としたのは美術よりも演劇や映画の方だったように見える。

仏教画題

新時代を象徴する画題が必要だという主張は、明治一〇年代後半からすでに始まっていた。フェノロサは一八年一月に鑑画会（かんがかい）で行なった講演「日本画題の将来」の中で、国民感情を喚起する国家的レベルの画題の必要性を説いている。彼が具体的に考えていたのは、日本の歴史や古典、仏教などで、「画題に仏教を用ゆるの得失」（明治一八年五月、鑑画会での講演）では、仏教画題を積極的に勧めている。

フェノロサとの二人三脚で制作された狩野芳崖の代表作にも、「伏龍羅漢図」(明治一八年)、「仁王捉鬼図」(同一九年)、「不動明王図」(同二〇年)、「悲母観音図」(同二一年、図17)など、仏教画題の作品が多い。フェノロサは、伝統的主題を従来の定型的表現としてではなく、自分自身の独創的イメージで描くことを求めていたから、こうした作品も和洋折衷の著しく新奇な表現になっている。

これらの作品は、しばしば新時代の「仏画」として論じられることがある。しかしおそ

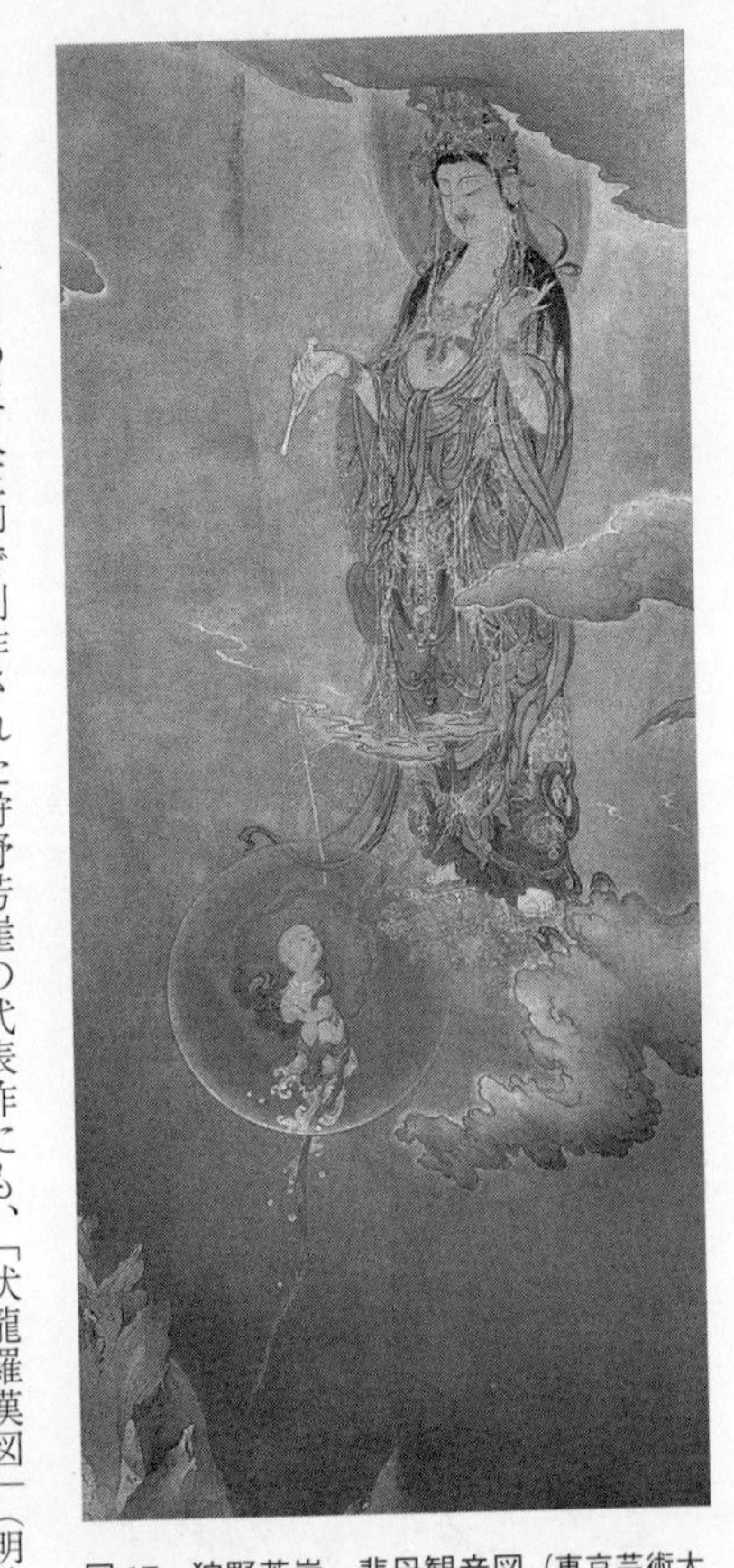

図17　狩野芳崖　悲母観音図（東京芸術大学蔵）

らくそれは適切な解釈ではない。

彼らがめざした〝新たな伝統絵画〟とは、〝日本〟的であると同時に〝国際的〟たりうるものでなければならなかった。そのために彼らは、絵画表現上の各要素を和洋にふり分ける方法をとった。つまり画題と筆法で〝日本〟を、色彩と空間表現で〝西洋〟を、それぞれ表象しようとしたのである。好んで仏教主題をとり、漢画の筆法を強調したのは前者、西洋顔料を使い遠近感や立体感を表現したのは後者のためだった。

とくに画題は、一目瞭然のアピール性を持っているだけに、その選択・解釈と表現は、重要な問題だった。国家思想の具現に歴史画という主題が急浮上したのも、主題がもつアピール性の強さゆえだったと言える。そしてこの仏教画題の作品群も、〝日本〟をアピールする画題として設定されたわけだから、「歴史画」の一バージョンとして描かれたと解するのが最も適切と思われる。

仏教じたいはもちろん日本だけのものではなく、東アジア全体の広がりと歴史を持つ宗教だ。しかし近代規格の「日本」の成立で、それまでの漢画や蘭画がすべて「日本絵画」の内側に取りこまれたのと同じように、日本の仏教も「日本」の〝歴史〟の内側に取りこまれたのだと考えられる。

ただ近代の「歴史画」への移行段階として見れば、これらの作品で主題解釈に創意が加えられたことは事実としても、主題そのものは既存の〝和漢〟の主題だったわけだから、画題そのものの創出にはまだ至っていないといえる。その試みが始まるのは、東京美術学校での「新撰」の授業においてであり、さらにその成果があらわれ始めるのは、明治二〇年代後半以降を待たなければならない。

武士の絵

尊皇愛国による新たな歴史観の形成を逆の立場から映し出したのが、前代までの支配者武士を描いた主題の質的変化である。

すでに触れたように明治一〇年代までの歴史画は、近世の歌舞伎や浄瑠璃などの歴史文学の流れにかなり取材しており、そこには武士も数多く登場する。新政府をになった人々自身、少し前までは武士だったわけだし、また武士道精神は新時代の国家主義の道徳・精神教育を側面から支えていた。

しかし新政府があくまで武家政権を否定して新体制を確立した以上、前代を認める形で武士や武家政権を称揚することは、明らかにタブーだった。そのためここで描かれる武士は、政治的な意味あいを含まない人情譚的なものや、あくまで天皇に忠誠をつくした忠臣としての武士が中心になっている。

楠正成は、そうした中で最も人気のあった人物だったわけだが、その背景には南北朝時代の南朝方を正統とする南朝正統論がある。

幕末に菊池容斎が描いた「塩谷高貞妻出浴之図」（一八四二、図18）も、その立場でこそ成立したものだった。この図はヘアヌードの裸体画として言及されることもある作品だが、足利尊氏の重臣高師直が塩谷高貞の妻に懸想し、浴後の裸をのぞき見るという場面は、どう見ても北朝方に好意的な内容とはいえない。言いたいところは逆臣としての不道徳、無軌道ぶりだろう。この主題は、結局讒死する夫と貞節の妻の話として江戸時代の歌舞伎や浄瑠璃でも人気のあったものだが、その流れを引きながら、容斎の意識の中では南朝正統

図18　菊池容斎　塩谷高貞妻出浴之図
（福富太郎コレクション）

図19　小堀鞆音　武士（東京芸術大学蔵）

の尊皇論に主題の意味がよみかえられているといえる。

明治二三年の第三回内国勧業博覧会に出品された曾山幸彦の「武者試鵠図」（図12）は、直接的には明治一〇年代前半に工部美術学校で描いた人体デッサン「弓術之図」の延長上にある。しかし同博覧会に出品された歴史画は、武者のほかにも騎龍観音、羽衣天女、和気清麿など、主題そのものは既存のものが多い。作品がひどく擬古的な感じがするのは、既存の伝統的主題と油絵という新しいメディアのアンバランスによるところが大きいのだろう。好んでそうしたというより、あえてその不自然さを強行した理由が国家主義というのも画面からだけではわかりにくいから、よけいアンバランスな印象が強い。

以後の日本画での武士像も、武人ながら〝非武装〟の文学的、有職故実的な主題として、あるいはまた忠君を軸に武士道精神をすりかえた尊皇愛国の主題として描かれることになる。とくに歴史考証の一環として武具甲冑（かっちゅう）の研究などが進むにつれて、その研究成果としての武士像はむしろ積極的に描かれたように見える。土佐派の流れに属し、「武士」（明治三〇年、図19）を描いた小堀鞆音（こぼりともと）などはその中心的な人物で、みずから甲冑を収集したり、歴史風俗画会を結成（三五年）したりしている。

いわば武士像は、文学、有職故実、歴史風俗の画題となり、反体制、反近代の政治的な牙を抜き去ることで、過去の「歴史」として近代の絵画に主題の位置を獲得したのだといえる。

神話画の隆盛

明治二〇年代なかばから三〇年代の歴史画に現われた最も大きな変化は、日本神話を描いた作品が急増したことである。典拠は、『古事記』（七一二年）と『日本書紀』（七二〇年）である。

ちなみに目につくところを拾ってみても、高橋由一「日本武尊」（明治二四年頃）、原田直次郎「素盞嗚尊八岐大蛇退治」（画稿、一八年頃、図20）、青木繁「黄泉比良坂」（三六年）「日本武尊」（三九年）「わだつみのいろこの宮」（四〇年）、石井林響「木花咲耶姫」（三九年）、前田青邨「大久米命」（四〇年）など、枚挙にいとまがない。

同時に、律令国家が成立した天平時代を描いた作品も現われてくる。藤島武二「天平の面影」（三五年、図21）、青木繁「天平時代」（三七年）などがそれである。

ここでは、神話の建国創業、律令国家建設、近代国家の建設が、三段論法的に重ね合わされている。まさにそれは、天皇の親政の時代を今に再現し、そうした時代を軸に歴史を組み上げようとする新たな歴史観の成立を象徴するものだった。律令国家が『古事記』、『日本書紀』を編纂することでみずからの歴史的正統化を図ったように、近代国家は「日本史」を編むことでみずからを正統化した。それが、これらの歴史画に反映しているのである。

第三回内国勧業博覧会の歴史画には、まだこうした新たな歴史観が明確にはあらわれていない。主題のイメージ解釈や表現ではすでに新たな領域に足をふみ入れながらも、主題そのものは既存の〝和漢〟の主題だったからである。いわば〝和漢〟のイメージ世界が、近代の国家権力によって最大限に膨張したものだったといえる。時代的に前後を通観すれば、このあたりが〝和漢〟の絵画イメージの最後の頂点だったといってもいいかもしれない。

図 21　藤島武二　天平の面影（石橋財団　石橋美術館蔵）

図 20　原田直次郎　素盞嗚尊八岐大蛇退治（岡山県立美術館蔵）

しかし新たな歴史観は、〝和漢〟の世界ではなく、〝西洋〟〝日本〟という世界観に根ざすものだった。画題における古代神話・天平風俗の増加、一方で和気清麿や菅原道真・楠正成らの減少、武士の絵画の変質などは、こうした歴史観の変化を象徴したのである。

東洋歴史画題——日清戦争の勝利

明治一七年に東洋絵画会が結成されたことは、日本は東洋の一部という意識がまだ強かったことを窺わせる。それが二〇年代に入って「日本」が確立すると同時に、日本を東洋から分離し（脱亜）、西欧に対峙しうる高峰「日本」を築きあげる作業が始まる。ところが、その日本と東洋の意識関係を逆転させるでき事が、明治二七〜二八年に起こった。日清戦争とその勝利である。これによる新たなナショナリズムの台頭が、〝東洋の中の日本〟から〝東洋の盟主たるべき日本〟へという意識の逆転を生むことになった。

その意識を高らかにうたったのが、初の官製日本美術史として一九〇〇（明治三三）年のパリ万博に出品された『稿本日本帝国美術略史』の序文である。翌年出版された邦訳の『日本帝国美術略史稿』で、九鬼隆一の序文は次のように言う。

我日本帝国民は特に天地自然の美を享有するものにして、我日本帝国は優に世界に於ける一大公園と称するに余りあるなり。

と日本の風景の美しさをうたい、続けて、

然(しか)れとも吾人は唯に自然的の美を誇称するものに非ず。抑々亦(また)歴史的及び技巧的の美を誇称するに躊躇せざるなり。

と日本は自然美だけでなく歴史・美術も優れていると説く。さらに、

九鬼隆一

支那印度は世界旧邦ならずや。……革命一変乱の起る毎に前日の文物は今日の灰燼と化し……数千年来の文華は……却(かえっ)て我日本帝国に於て遺芳を放つもの多し。……日本帝国は世界の公園たるの外、更に東洋の宝庫と称するも過言に非さるなり。

と中国・インドの衰退と文物の破壊のため、日本こそが東洋の歴史美の宝庫なのだと説く。

そして美術史の編纂について、

是等の事業は敢て支那及ひ印度の国民に望むべからず、応に東洋の宝庫たる我日本帝国民にして始めて能く完成するを得べきのみ。

と、日本こそが東洋美術史を編纂できるのだという。その目的を、

我帝国民、烈聖洪仁の余沢に沐浴感泣して、三千年の徳聖を謳歌し、国光を四海万世に発揮せんとする。

と天皇の威光、国威の発揚に帰している。

ここには、東洋の盟主たらんとする意識が露骨なまでに示されている。なにより同書が二〇世紀の幕明けを告げる年の万博に出品されたものである点、この序文は、日本が二〇世紀の東洋の盟主であることを世界に宣言しようとしたのだと見ていいだろう。

この東洋観は、先に述べた「東洋画」の成立にも直接関係している。序文で言及されている「東洋」が中国、インドである点からも、日本での「東洋」がインド・中国・日本を中心に認識されていることがわかる。

そしてこの対東洋観が歴史画に直接的に反映したのが、明治三一年の元旦、読売新聞が社告で公募した「懸賞東洋歴史画題」だった。「東洋」の地理範囲は「日本、支那、朝鮮、印度等」とされている。それまでもこの地域の〝和漢〟の主題はいくらでもあったわけだから、公募されたのは新たな東洋観を反映した創案による画題だったことがわかる。いわばそれは、新生「日本」による「東洋」の歴史の取りこみだったともいえる。

一等に当選したのは、外山正一の「須佐之男命（すさのおのみこと）」だった。外山はかつて「日本絵画の未来」を発表したあの外山である。何か出来レースのようなウサン臭さも感じさせるが、それよりも東洋画題の一等になったのが日本の主題だった点に、東洋の盟主としての日本という自己演出が感じられる。

大観・観山の歴史画

こうした時代の動向を日本画の世界でもっとも端的に象徴したのが、明治三一年に設立された日本美術院の歴史画だった。例として同年の第一回展に出品された横山大観（よこやまたいかん）の「屈原（くつげん）」（図22）と下村観山（しもむらかんざん）の「闍維（じゃい）」（図23）を見てみよう。

大観の「屈原」は、この年東京美術学校を辞して日本美術院を設立した岡倉天心を、中国の戦国時代の楚の高士、屈原になぞらえたものである。屈原は讒言によって国を追われ、汨羅（べきら）の淵に身を投じた愛国の士だった。屈原がこれ以前の日本絵画で描かれた例は見あた

図 22　横山大観　屈原（厳島神社蔵）

図 23　下村観山　闍維（横浜美術館蔵）

らず、あったとしてもごくわずかなはずだ。つまり中国故事が、東京美術学校騒動の比喩として新しく絵画化されたわけだ。

観山の「闍維」は、釈迦を荼毘（火葬）に付す場面を描いたものである。釈迦の入滅を描くには従来涅槃図として描くのが普通で、火葬の場面を描いた作品はやはり前例がない。周囲を菩薩や天部、羅漢がとりまくようすは、確かに涅槃図の図様構成を意識しており、菩薩や天部の顔だちも明らかに仏画から学んでいる。しかし注目されるのは、リアルなインド人の容貌として描いた羅漢が同時に描かれていることである。伝説の国〝天竺〟から現実の国〝インド〟へという当時の日本における意識の変化を、ここに見出すことができ

図24　横山大観　流燈（茨城県近代美術館蔵）

図 25　小杉未醒　東京大学安田講堂壁画（部分）（東京大学）

る。この時期、すでにかなりの仏僧が日本からインドを訪れており、大観・春草らが実際に渡印するのが明治三六年、天心が前年にインドで書いた『東洋の理想』を出版するのもこの年である。

ただこうした明治三〇年代の「東洋画題」は、まだ「日本」の枠内に東洋の画題をとりこむ作業、いわば東洋の盟主としてのイメージソフトの作成と言うべき段階のものだった。しかし明治四三年に韓国を併合し、大陸進出を現実のものとした頃から、そのイメージソフトにも次の段階への変化が生じてくる。

水に流した燈明が見えなくなるまで消えなければ幸せがあるという、インドの風習を描いた大観の「流燈」（明治四二年、図24）は、主題はインドだが、人物は日本人の顔で描かれている。

また大正一四年に竣工した朝鮮総督府の和田三造（わださんぞう）の壁画は、日本と朝鮮半島に共通する羽衣（はごろも）伝説を描いたものだという。[36] 時代背景には大正八年の三・一運動を契機とした「内鮮一体」「内鮮融和」論があり、武断政治から文治政治への転換があるという。景福宮の配置を分断する位置に総督府の建物を建てることで、ハードとしての力の支配を象徴し、一見平和裡の神話壁画でソフトとしての人心統合をねらったといえる。

また同じ年に竣工した東京大学安田講堂の小杉未醒の壁画「採果」「湧泉」（図25）、あるいはラーマーヤナに取材した未醒の昭和三年の「羅摩物語」などでも、インド、中国、日本の人や物語が〝融和〟された東洋イメージが現出されている。[37]

つまりこうした作品では、日本と東洋の一体化が図られているのであり、のちの〝八紘一宇〟〝大東亜共栄圏〟に直接的につながっていくイメージソフトを見出すことができるのである（もちろん作家個人のことではなく、時代の反映としての意味である）。なかでも神話や民話を描いた歴史画は、人心融和の好画題と見なされたのだろうと思われる。

戦争画の効用

一方、国威発揚と国民意識の統合にとっては、戦争画にまさるものはなかった。事実、日清、日露の戦争時には数多くの作品が描かれたし、のちの第二次世界大戦時には、陸軍美術協会の結成など情報戦略として戦争画が生産された。ヒロイズムや愛国心に満ちた戦争画は、まさに現代の歴史画というべきものだった。

戦いの場面を描いた作品ということであれば、古くから前九年・後三年の役や源平合戦、元寇、関ヶ原の戦いを描いたものなど、数多くの作品があった。これらの作品はふつう「合戦絵」の名でよばれている。しかしそうした「合戦絵」は、記録や戦意高揚というより、伝承や文学にもとづいている場合が多く、「戦争画」とよぶにはどこか違和感がある。

では合戦絵と戦争画はどう違うのか。

こうした過去の戦いは、規模やレベルに応じて「役」「乱」「変」「戦い」などの名称でよばれている。絵画化されたかどうかは別にして、それぞれの主だったものを列挙してみると、次のようになる。

役　前九年・後三年の役、文永・弘安の役（元寇）、文禄・慶長の役（朝鮮出兵）

乱　壬申の乱、平将門の乱、保元・平治の乱、応永の乱、応仁の乱・文明の乱、島原の乱、由比正雪の乱、大塩平八郎の乱

変　承久の変、正中の変、元弘の変、本能寺の変、桜田門外の変

戦　川中島の戦、厳島の戦、桶狭間の戦、長篠の戦、関ヶ原の戦、鳥羽・伏見の戦

事件　宝暦事件、明和事件

今のことばでいえば、戦争、紛争、事変、内戦、内乱、クーデター、事件といったとこ

ろだろうか。

こうして見ると、合戦絵として描かれたものの大部分が、実際には国内戦だったことがわかる。そして対外戦争にはほぼ「役」の語があてられている。それからすると、一一世紀の平安朝廷と東北の安倍・清原氏の戦いだった前九年・後三年の役は、内戦というより主権の異なる異国間の戦いとして捉えられたようすがうかがわれる。

明治以降の戦いを年表などから名称別に拾ってみると、次のようになる。

役　戊辰の役（明治元年）、西南の役（明治一〇年）
乱　佐賀の乱（明治七年）、神風連の乱（同九年）、秋月の乱（同九年）
戦争　戊辰戦争、西南戦争、日清戦争（明治二七〜二八年）、日露戦争（同三七〜三八年）、日中戦争、太平洋［大東亜］戦争（昭和一六〜二〇年）
事変　満州事変（昭和六年）、支那事変（同一二年）
事件　大逆事件（明治四三年）、五・一五事件（昭和七年）、二・二六事件（同一一年）、盧溝橋事件（同一二年）、ノモンハン事件（同一四年）

明治初年にはまだ「役」「乱」の語が使われているが、「戦争」と言うときには、ほぼ対外的な国家間戦争に使われている。

つまり、近代以降に「戦争画」と言われたものは、基本的に国家間戦争を描いたものだったことがわかる。そうであればこそ、国威発揚と国民意識の統合の手段にもなりえたのだった。大部分が国内戦を描いたものだったかつての合戦絵を「戦争画」の名でよびにくいのも、このためと考えられる。いまでも貿易摩擦の「経済戦争」に対して、「合戦」は「歌合戦」や「雪合戦」など、むしろ平和なアトラクションで〝競争〟程度の意味で使われている。

戊辰戦争、西南戦争あたりが「役」と「戦争」の両方で言われるから、このあたりが、「合戦」から「戦争」への移行期と考えていいのかもしれない。以後「戦争画」は、単なる戦闘図ではなく、国家イデオロギーに支えられた国威発揚の対外戦争図であることを求められたのだった。

日清戦争に黒田清輝、浅井忠、山本芳翠、久保田米僊らが従軍画家として派遣され、陸軍が写真班を派遣したのも、取材・報道と記録のためである。ところが木下直之氏がいみじくも指摘したように[38]、従軍した画家や写真師たちは、従軍したとはいいながら、弾がとびかい目の前で兵士がたおれていく最前線中の最前線にいたわけではなかった。まして敵の姿を間近に見たり、両軍が相乱れる肉弾戦を見たわけでもなかったから、見た場面を正確に伝えようとすると、行軍のようすや休憩中の兵士、敵兵がたおれている戦闘後の場面などが多くなった。

そのため、激しい戦闘場面を描き戦況をドラマチックに伝えたのは、むしろ従軍していない錦絵（にしきえ）などの方だったという奇妙な現象が起こった。もちろん錦絵画家は戦争を見たわけではない。まさにそれは、合戦絵の表現の伝統だったのである。そしてここで、庶民を対象とした錦絵のジャーナリスティックな性格も、フルに発揮されたのだった。

写真技術の進歩と錦絵の衰退によって、日露戦争後の歴史画に錦絵が占める役割は著しく減少する。しかし一体に戦争画が、事実よりも戦意やヒロイズムを描き出そうとした傾向は、その後も長く続いた。というより、それが戦争画の目的だったのだ。

また日清戦争の勝利の際に作られたハリボテの凱旋門が、祭りのだしをベースにしながら、戦勝・脱亜のイメージ戦略として機能したこと[39]、あるいはのちのファシズム期の戦争画によって、日本の近代絵画がはじめて西洋風の大画面構図を実現したのだという指摘は[40]、日本の近代化に戦争が果たした皮肉な役割がいかに大きかったのかを物語っている。

4　人間と自然

裸体画論争

歴史画のほかの大きな論争として、明治二〇年代から三〇年代にかけて、挿絵や展覧会

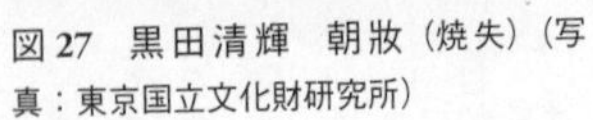

図 27　黒田清輝　朝妝（焼失）（写真：東京国立文化財研究所）

図 26　渡辺省亭「胡蝶」挿絵（「国民之友」37 号）

に出品された裸体画をめぐるトラブルが、相次いで起こった。

まず最初は、明治二二年一月「国民之友」三七号の付録として出された、山田美妙の小説「胡蝶」の渡辺省亭（わたなべせいてい）の挿図（図26）だった。そもそも花鳥画家として聞こえた省亭には、人物画じたい多くはない。本図の女性のポーズも、実は師の菊池容斎の「塩谷高貞妻出浴之図」（図18）から借用したものなのだが、絵としてはいたって図式的な裸体図である。

続いて起こった第二弾は、平安遷都一一〇〇年を記念して明治二八年に京都で開催された、第四回内国勧業博覧会の黒田清輝の出品作「朝妝（ちょうしょう）」（制作は明治二六年、図27）をめぐって起きた。公衆の面前にハダカを陳列したということで、官憲が撤去しようとする騒ぎになったが、九鬼隆一らのはからいで撤去はまぬがれた。

第三弾は、明治三四年の第六回白馬会（はくばかい）展に出品された同じく黒田清輝の作品「裸体婦人像」をめぐって、下半身に布がかけられたという事件だった。世に〝腰巻事件〟といわれたでき事である（図28）。

アカデミックな西洋美術を日本に根づかせようという熱意に燃えていた黒田にとって、度重なる無理解な仕打ちは憤懣（ふんまん）やる方ないものだったらしい。

西欧において神の形に似せて作られた人間の像は、美術の根幹をなすものであり、一糸まとわぬヌードは神の形でもあった。しかしそうした神話も歴史的前提としての価値観も持たない日本にとって、ヌードは美の規範ではなく、習俗としての〝ハダカ〟の文脈で解釈されたのだった。

　当時〝ハダカ〟を取締っていたのは、違式詿違条例（明治五年、東京府）という法律だった[41]。この法律は猥褻な図画や見世物、街中で裸体・半裸でいること、男女混浴などを禁じたものだった。ただこれは、今のような商業主義の〝ハダカ〟が街に氾濫していたからではなく、むしろ生活の中にごく普通にあった〝ハダカ〟を、〝文明国〟たるべく西欧人

図 28　黒田清輝　裸体婦人像（個人蔵）

布で覆われた「裸体婦人像」

の目から隠すことが目的だった。西洋を基準にした〝文明〟の尺度で、当の西欧美術のヌードも取締ってしまったわけだから、建前と実態の矛盾が露呈した状況だったといえる。

北澤氏は、ヌードを美として理解するには「美術」というシステムの裏づけが必要だったこと、そして「裸婦のデッサンは、性的欲望を抑圧することによって『美術』という精神的秩序を身につけさせる」ための「スパルタ教育」だったのだと説く。実にうまい言い方だ。

裸体画を成立させているポイントは、第一に美としての規範、第二に人体表現、第三に〝ハダカ〟なことである。ヌードの存立にとって最も重要なのは第一点の〝美としての規範〟だったはずなのだが、その前提のない日本で裸体画に見出されたものは、生身の〝カラダ〟と〝ハダカ〟、つまり第二、第三点だったわけだ。

しかも皮肉なことには、〝美の規範〟としてこそ成立するヌード Nude に対して、ジャンル用語としては、まさに即物的な生身の肉体を意味する〝裸体 naked body〟ということばを使った「裸体画」という語が成立してしまう。あくまで第二、第三点からの造語がなされたわけで、いわば「裸体画」というジャンル用語そのものが、Nude という概念の受容の限界を象徴することになったのだった。

この裸体画論争が起こった理由としては、次のようなことが考えられる。

まず第一には、裸体画も歴史画同様、西洋美術において重要な位置を占めるものだったことであり、それゆえにこそ、是非とも移植しなければならない〝制度〟だったのだ。花鳥画や風景画についてはさしたる論争も起こっていない点、逆の意味で象徴的である。

　第二に、ただその移植に際しては、既存の日本のシステムとの整合性が問題となったため、ズレやギャップが大きいほど論争も大きくなったことである。裸体画の場合、美術の領域内の問題というより、美術と風俗習慣・道徳との間の軋轢として起こったのだった。しかし裸体画論争が逆説的に浮き彫りにしたのは、裸体画そのものより実はもっと大きな問題だったように見える。

　というのは、同じ人物画でも、風俗画としての裸体画に対してと、宗教絵画つまりキリスト教絵画に対してでは、全く違った対応がとられているからである。西洋美術の根幹にかかわるという点では、キリスト教美術こそがその中心だったにもかかわらず、移植に際してそれはきれいにそぎ落とされたのだった。これだけ西洋美術を移植していながら、教会の絵画を除けば、近代以降の日本絵画の代表的作品の中に、キリストを描いた作品はほとんど見あたらない。移植されたのはあくまで西洋美術の技術と制度であり、精神にかかわる部分は周到に切り落とされたのだった。まさに〝和魂洋才〟の方法論がとられたのである。完璧なまでの統一感には、政策レベルの問題だけでなく、人々の一般的なキリスト教観にもある種の暗黙の社会的了解があったようすを窺わせる。

　その点、宗教絵画に比べれば、風俗画としての裸体画はさほど政治性を帯びる深刻な問題とは考えられなかったのだろう。結局裸体画は、良くも悪くも西洋美術にまつわる一つの形式・制度として、あるいはそのようにしてのみ受容されたのだった。現在の公募団体展にあふれる裸体像を見ると、一見それはすっかり定着したように見えるが、人文主義的な精神背景を持たない裸体群像は、奇妙な空虚さを漂わせており、それが逆に制度・形式としての定着を浮き彫りにしているように見える。

ただ裸体画の移植にまつわる議論のリアリティの点では、すでにそれが前提になってしまった現在よりも、むしろ明治二〇年代の方が切実さが感じられる。受容側は道徳慣習の問題として捉えたにせよ、移植しようとした側の黒田らは、それが単なる〝ハダカ〟ではなく、人間存在としての人体、身体であることをはっきりと認識していたからである。それには、この明治二〇年代に実在論哲学が移植されたことも、背景にあったと思われる。この時期、文学を中心に「写実」という概念と用語が成立し、森鷗外が「実体」ということばをくり返し使っているのも、同根の現象といえる。

「裸体」「人体」という語がこの時期に定着したのも、そうした実在論が背景にあると思われる。明治初年まで、それらは「裸形」「人形」の語でよばれていた。存在そのものより、形と状態を描いてきたのであり、浮世絵などが、人体構造より人肌の質感の再現に意を注いできたのにも、それは感じられる。解剖学が美術で講義されたのは、人間表現に人体構造の把握が導入されたからであった。

つまり「形」から「体」(「裸形」から「裸体」、「人形」から「人体」)へという変化は、〝見え〟から存在へという認識の変化を示しているのであり、ここでの「体」という語は、実在論的なキーワードとしての役割を負ったのだった。

ただ、その後数多く制作された裸体像のフワフワした実体感のなさは、制度としては定着したにもかかわらず、そうした実在論的な認識が、結局日本には根づかなかったことを示しているように見える。それは無理解というより、肉体の存在を生前から生・死へと移りゆく一つの状態として捉えてきた、より長く深い人間観や身体観に淵源している問題なのかもしれない。

風景画と山水画

人にまつわる主題で相次いで論争が起こったのに対して、自然にまつわる主題のジャンル形成は、比較的スムーズに行なわれた。「風景画」の成立がそれである。

山水画・風景画というと、山水画の方が古くて風景画の方が新しい感じがする。あるいはまた、山水画というと書画掛軸のようで、風景画というと洋風の感じがする。こういう〝何となく〟のイメージが、実は理論以上に本質を突いている場合が少なくない。

事実、「風景画」というジャンル用語は、明治三〇年前後に洋画を中心に生まれた新しいことばだった。とくにそれは、白馬会系の洋画新派に対して使われるようになったもので、明治二〇年代なかばまでは、洋画旧派の明治美術会展でも、油絵の風景画に「山水」「景色」の語が使われていた。[42]

松本誠一氏によれば、「風景」「景色」「山水」という語じたいは、かなり古くから様々な文章で使われているという。[43] ただ美術で主に使われたのが、「山水」という語だったということらしい。

それが明治では、初年から二〇年代なかばまでは「山水」と「景色」の語が使われ、「山水」は日本画・洋画の両方で、また「景色」は主に洋画で使われているという。ところが明治二九年に白馬会が結成されると、その美術が新しいことを印象づけるために、ここで「風景」の語が多用されるようになったのだという。つまり作品だけでなく、ことばによる戦略として「風景」の語が新派で選択採用されたわけだ。明治三二年の第四回白馬会展からは、作品のタイトルとしても「景色」から「風景」に一変し、「風景」が急増しているという。

この戦略は、彼らの作風を「風景」の語義と照らしてみても、実は的(まと)を射たものだった。ここで各語の本来の意味を確認しておこう。

「山水」は、「山河」と同じく自然の形質を表わす語である。それに対して、「風」は本来空中の大気、「景」は光ないし影を意味したことから、「風景」は自然の天候や気象などの現象をさしていた。[44]

一方、柳宗玄氏によれば、現在西洋絵画に対して使われている「風景」は、英語のlandscape、フランス語のpaysageの和訳である。landscapeはオランダ語のlandschapに由来し、landは陸地、schapは英語の語尾のshipやドイツ語のschaftと同じく、状態や性質を表わす。つまり視覚的形状よりも状態の方に語意の比重があったため、西洋絵画には「山水」ではなく同じく状態の意に比重のある「風景」の語が、訳語としてあてられたと思われるという。[45]

その具体的な経緯が、松本氏の言うように初め新派の洋画に「風景」の語があてられ、次いで洋画・西洋絵画全般に使われるようになったわけだ。

また柳氏によれば、西洋のlandschapの景観は、具体的には陸地や田園の眺めを意味するもので、本来山と水（山水）とは関係ない。そのため西洋の風景画は本来平坦（へいたん）な陸地を描くことが原則で（それゆえにlandのschap）、それが透視図法や横長の画面形式にも密接に関係しているのだという。西洋絵画を積極的に摂取した鑑画会や初期日本美術院の日本画で横長画面が多くなることは、その点象徴的である。

朦朧体（もうろうたい）の試み

一方現在は日本画でも風景画とよんで違和感のない作品が多い。日本画における「山水」から「風景」への移行はどのように行なわれたのだろうか。

ことばとして「風景画」の語で日本画作品もよぶようになったのはかなり遅く、広く一般化するのは昭和も戦後になってからではないかと思われる。しかし実際の表現上の点では実はかなり早い。というより、白馬会と同時期の明治三〇年代の日本美術院の朦朧体は、実態としてはまさに「風」と「景」を描こうとしたものだったのである。

中国の水墨画は山水画を中心に展開したため、それを移植した日本でも、「山水画」といえば基本的に水墨山水をさすのが普通だった。山水画に西洋絵画を導入した鑑画会のそれも、水墨の「山水」景観に光や明暗、遠近法を取り入れたものだった。つまりここでは、「水墨山水」という定型はなお崩れていない（図29）。

ところが明治二〇年代に入ると、橋本雅邦「白雲紅樹」（二三年、図30）のように、山水にかなり色彩を入れた〝色彩山水〟とも言うべきものが現われてくる。つまり「景」「色」の導入である。

それに続いて現われたのが朦朧体である。そのきっかけとなったのは、岡倉天心の「空気を描く方法はないか」ということばだったという。まさに「風」の表現であり、明治期の日本画に広く共通する三次元的な空間表現への志向を、直接に示したことばだったといえる。

これによって横山大観らは、没線（筆線を使わない）主彩（色彩中心）の朦朧体を始めたのだった（図31）。朦朧体ということばは、もともとはほめことばではなく、色彩の混濁

図 30　橋本雅邦　白雲紅樹（東京芸術大学蔵）

図 29　狩野芳崖　岩石図（東京芸術大学蔵）

と形態の不明瞭さからつけられた揶揄の語である。

しかし空気を描こうとしたこと、それを水墨ではなく色彩で描こうとしたことは、まさに「風」と「景」を描こうとしたのだといえる。つまり絵画表現上の実態としては、すでに「風景」とよぶべき条件を満たしているのである。

ただ作品じたいのタイトルとしては、彼らは「風景」の語を使っていない。形態の輪郭がぼやける明け方や夕暮、霧の情景を好んでとりあげたため、「暁色」「暮色」といった題

図 31　横山大観　杜鵑（福井県立美術館蔵）

名がやたら目につく。ただここで、題名から漢詩的な要素が退き、メランコリックながら自然景がそのままタイトル化されたことも、それはそれで日本画の歴史の中では一つの画期というべき出来事だった。

こうして見ると、明治三〇年代という時期に洋画、日本画ともに「風景」化が進んだと見ることができるだろう。

私的な疑問としては、「山水」「景色」「風景」を全部ひっくるめて、なぜ「自然画」という語ができなかったのかがひっかかるのだが、これについては今のところ全く考えが浮かばないので、問題を先送りにしておこう。

また風景画については論争らしい論争がなく、用語的成立も他の美術用語にくらべてやや遅い。この背景には、西洋絵画における風景画が後発のジャンルで、中心に位置していなかったこと、一方の東洋絵画ではすでにゆるぎない歴史があり、技術的対応も比較的容易だったこと、しかしその歴史ゆえに逆に「山水」の語がかなり根強く残ったことなどがあると思われる。

5 「近代美術」と「現代美術」

日本から世界へ

先にも触れたように、「日本画」「西洋画（洋画）」の成立は、日本・西洋という文明論的な世界観を背景に生まれた。以後日本画の美術団体名には、日本美術協会（明治二〇年）、日本青年絵画協会（二四年）、日本絵画協会（二九年）、日本画会（三〇年）、日本美術院（三一年）、日本南画会（三〇年）など、ことさらに「日本」の語を冠した団体が数多く結成される。国民国家の絵画という称号を得たわけだから、これはわかりやすい現象だ。

ところが一方の洋画の美術団体には、明治期を通して見ても「日本」を冠した美術団体名が見当たらない。明治美術会（二二年）、白馬会（二九年）、太平洋画会（三四年）、光風会（四五年）など、むしろ「日本」の語を避けている感さえある。描くのが西洋画だったことからすれば、これもよくわかる。しかし逆にフランス絵画会とかイギリス絵画会といった、より西洋側にふみこんだ団体名も見あたらない。ここに「西洋画」であると同時に「日本絵画」でなければならなかった洋画の立場の難しさが窺われる。

近代日本は、「日本」性と国際性の両方を同時に実現しなければならなかった。しかしそれが国家主義に支えられたものである以上、最終的には「日本」に帰着されるべきものだった。その点、日本画は当初から権威化への危険性をはらんだのに対し、洋画は「日本の洋画」を創り出さなければならない自己矛盾の危険性を内にはらんでいたといえる。

とくに東京美術学校という官立機構の中で西洋画を担った黒田清輝らの場合、この問題は深刻だったはずだ。帰国後の黒田が、日本の歴史画「昔語り」や日本人モデルの裸体画「智感情」を描き、白馬会が日本の生活風俗を多く題材に描いたことにも、「日本の洋画」を創出しようとする使命感が感じられる。

ただ同じ「日本の洋画」でも、明治美術会が積極的に国家の権威と庇護を求めたのに対して、藩閥勢力を背景とした白馬会の方がむしろリベラルで、直接的な国家主義の思想表現を避け、文学性や生活風俗へ傾斜していったのは、興味深い現象だ。団体名に白馬会や光風会など心象性の強い会名をつけたのも、国家の枠をこえた普遍的イメージを標榜したかったからかもしれない。光風会の「光風」が、黒田らの印象派風の画風をイメージさせる一方、まさに大気の「風」と光の「景」つまり「風景」に通ずることばであることも注目される。印象派がそうだったように、彼らもまた歴史画より風景画や風俗画を志向したのだとも考えられる。

しかしそれも、「日本」に帰着しなければならなかったことでは同じだった。この公的使命は、昭和戦前まで、とくに制度側の美術においては絶対的な拘束力を持ったように見える。戦前までの美術の中でより直接的に西洋をめざした美術の多くが、反官展の文脈や制度に乗らない若手作家によるものだったことも、逆の意味でそれを浮き彫りにしている。

つまり、明治以降昭和戦前までの美術では、西洋化を進めながらも絶対基準はあくまで

「日本」の内側であることに置かれていたのだといえる（和魂洋才）。

その価値基準に大きな転換の生じたのが、昭和戦後だった。敗戦による戦前の日本の否定と新たな戦後日本の出発は、価値基準を今度は日本の外側に置いたのだった。それは実態としては、新たな西欧化の始まり（正確には西欧主導の新たな戦後世界システムへの参加）でもあったが、ここで戦後日本は「日本」への求心性から一転して、世界性と同時代性に向かって走り始めたのだった。

「近代」「現代」の成立

先に「近代」の項（第一章）でも触れたように、明治維新から昭和戦前までを「近代」、第二次大戦後を「現代」とする現在の日本での時代区分名称は、戦後に成立したものだった。戦前の切り離しと「現代」の形成が、時代区分としての「近代」も対比的に成立させたのだった。いわば「近代」は過去、「現代」は現在として区分設定されたといえる。戦後いち早く「近代日本美術綜合展」（昭和二三年）が行なわれたのも、「近代」成立の早い一例である。「近代」が成立していく経緯を、機構や組織、展覧会などからもう少し追って見てみよう。

まず機構の成立でそれを象徴したのが、日本で最初の近代美術館として昭和二六年に開館した神奈川県立近代美術館と、翌二七年に開館した国立近代美術館だった。「近代」の語を冠した両美術館の開館は、「近代」の語が〝最近〟の意味ではなく時代区分用語として成立したこと、両館はその概念の機構化として成立したことを意味していた。同時にそれは、過去として設定された「近代」の歴史化作業の始まりを告げるものでもあった。以後両館は、「近代」「現代」と銘うった展覧会を次々に開催し、両者の対比を視覚的に明示していく。ちなみに国立近代美術館が開館記念展として行なったのは、「日本近代美術展――その回顧と展望」（二七年）だった。以後同館が行なった展覧会から「近代」「現代」の語を冠したものの数を追ってみると、次のように推移する。（　）内の数字は、当初「現代」と同義的に使われた「戦後」の語を冠した展覧会の数である（「現代」の数には含んでいない）。

	「近代」	「現代」	（「戦後」）
昭和二七～三〇年	4	3	（1）
昭和三一～三五年	8	10	（1）
昭和三六～四〇年	19	8	（1）
昭和四一～四五年	5	11	

昭和四〇年以降、戦後意識はうすれていることがわかる。

戦前の帝室博物館は強い政治性をともなう場としてあったが、戦後の美術館・博物館は社会教育の場として位置づけられた。そのため、こうした美術館の事業活動でも広報に力が注がれ、新聞・雑誌・テレビなどマスメディアをまきこんだ活動が展開された。その結果、近代日本美術の巨匠や名作といった近代美術史のイメージは、研究より事業やメディア主導の形で、わずか二十余年のうちに形成されることになる。

またこうした展覧会での「近代」「現代」の語の用法として、次のような点が注目される。

まず「近代」美術展の多くが、当然ながら日本の近代美術を扱っていること、その中で絵画であれば日本画・洋画に分類されているケースが多いことである。この場合、洋画は「西洋画」ではなくほぼ「洋画」の語で記されている。「洋画」の語が実質的に日本洋画に限定されるようになるのも、ほぼこれ以降である。同様に「日本画」の語が、日本絵画の意味ではなく、近代以降のいわゆる日本画に限定されるようになるのも、戦後である。

つまり「日本画」「洋画」の両語は、「近代」美術の範疇に組み入れられたことで、「日本絵画」とも「西洋絵画（西洋画）」とも異なる、いわゆる近代の日本画・洋画に限定されることになったわけだ。「近代日本画」という言い回しは、いわばそれをダメ押しした言い方で、むしろ戦後の日本画（現代日本画）と区別する意識から生じたことばといえる。

一方「現代」美術展では、日本のものだけでなく、二〇世紀以降の西洋美術を扱ったものもかなり含まれている。むしろ日本と西洋を区別せず、「現代」の名のもとに一体化しようとする意識の方が強いように見える。実はこれこそが、戦後日本の志向を象徴していた。

「現代美術」とはなにか

「現代」あるいは「現代美術」とは何をさしたのかについて、ことばの成り立ちの側から見てみよう。

明治二〇年代に「日本画」「西洋画」の語に端的にあらわれた文明論的な自己規定の基準は、基本的に昭和戦前まで続いたと見られる。

それに対して現代美術の「現代」という語は、時間用語である。ここには、文明論から時間論へという自己規定の基準の変化が認められる。

こうした変化にはやはり第二次大戦での敗戦と、戦後日本の再出発という状況が決定的な意味を持っている。

敗戦によって戦前までの皇国日本が否定された時点で、絶対的な求心性を持っていた「日本」意識もその求心性を失う。ここで日本は、新たな価値基準として世界性と同時代性を設定したのだと考えられる。

「現代美術」が、戦前からあった美術ではなく戦後新たに起こった美術、また戦前からの美術であれば体制的庇護が薄く、より西欧に近かった前衛系の美術を中心に形成されたのも、このためと思われる。いわば戦前の皇国「日本」をひきずっていない美術、あるいはそれから最も遠い美術で「現代」美術が形成されたわけだ。

実際にそうした美術として、まず昭和二二年いち早く日本アヴァンギャルド美術家クラブ、日本美術会主催日本アンデパンダン展が組織され、続いて読売アンデパンダン展（二四年）、現代美術懇談会（二七年、具体美術の母体）などが組織される。

また現代美術の展開には、国際展への参加や開催が大きな役割を果たしたことも注目される。ベネチア・ビエンナーレ、サンパウロ・ビエンナーレ、東京国際版画ビエンナーレ（昭和三二〜五四年）などは、その代表的な国際展である。また毎日新聞社が日本国際美術展（昭和二七〜平成二年）と現代日本美術展（昭和二九〜平成一二年）を交互に開催したのも、日本と世界をリンクさせるためだった。

こうした国際展が大きな意味を持ったのは、現代美術が世界性と同時代性を志向したからにほかならない。価値観は戦前と一転して日本の外に置かれたのだった。

では「現代美術」とは一体どのような美術を言ったのか。ふつうこうした議論では、表現上の規定や精神史的な意義づけが試みられる。ただことばの成り立ちからいえば、「現代美術」の語を生んだ主要因は、芸術論というよりむしろ時代区分論だった。つまり「近代」ではなく「現代」であること、「現代」か否かが問題だった。そのため具体的には、戦後新たに起こった（あるいは海外から紹介された）美術の理念や表現に、「現代美術」の語が当てられたのだと考えられる。明治初年まず「美術」の器ができ、中身の検討は後発的に始まったように、「現代美術」もまず時代論による器の方が先にできて、実質的な意義づけは、その後に始まったように見える。

しかしではその際、日本画や洋画のように戦前からすでにあり、戦後も続いた美術はどうなったのか。日本画や洋画は今でも存在し、厳然たる大勢力を誇っている。これについては、戦前から続いていた美術は、「現在」の美術ではあっても、「現代美術」とはされなかった傾向が強い。事実、そうした美術の多くは、今でも現代美術として言われることは少ない。「現代美術」は、戦後のすべての美術をさしたわけではない。

ところがそうなると、現在でも日本の大部分の美術大学が、日本画・洋画・彫刻・工芸・デザイン（および建築）という講座構成をとっていることは、現代美術への機構的対応としては重大な欠陥をかかえていることがわかる。日本画・洋画・彫刻・工芸とは、これまで見てきたように近代日本で成立した近代概念である。したがってそれが機構化した講座もいわば近代制度というべきもので、現状はそれが戦後にそのまま持ちこされたことを示している。

しかし戦後新たに起こった現代美術については、現代美術科といった科はどこにも作られていない。多くの場合、現代美術はメディア性の近さから油画科やデザイン科の中で分散的に行なわれている。

こうした現状は、近代制度と現代美術が対応しておらず、機構的には依然近代制度が支配していることを示している。現代美術を制度が引っぱることになるのであれば、結局近代と同じことの繰り返しになる危険性はあるのだが、機構論としていえば、現状にあった機構改革、あるいは近代制度そのものの見直しはやはり必要だろうと思われる。その際、実際はどのような形にするにせよ、問題の本質は近代制度のタテ割りジャンルの横断ではなく、近代制度そのものの検討、あるいは現代制度の創設や架設にあるのだと考えられる。

「日本画」と「現代美術」

戦後、価値観の基準が世界性と同時代性に転換されたことで、存在そのものの規定に最も大きな変化が生じたのが日本画だった。「日本」の伝統絵画として国家の絶対の保障を得てきたものが、絵画自体は変わっていないにもかかわらず、価値基準が「日本」の外側に転化されたことで一転、地域絵画、民族絵画的な性格づけが強まったからである。

それに似た現象が、京都の位置づけにも起こった。明治以降、東京が世界への窓口、〝現在〟の中心として機能したのに対して、京都は奈良とともに皇国日本の〝歴史〟の聖都として位置づけられていた。[46] これも「日本」が絶対基準としてあったからだった。ところが戦後、世界性と同時代性が追求される中で、東京がより国際都市化への道を歩んだのに対して、京都・奈良は逆に地方都市化の道を歩むことになったのである。これも国家の指標が「日本」から世界へと転化されたからと考えられる。

そうした中で、戦後の日本画の動向は大きく二つに分かれたように見える。世界性と同時代性をめざしたものと、逆に伝統美と思想性を排した歴史イメージを追求したものとの二つである。

前者を代表するものとして、パンリアル（昭和二三年）や日展の抽象的日本画、創造美術（二三年）から創画会（四九年）への流れなどがある。「世界性に立脚する日本絵画の創造」をうたった創造美術に、「日本画」のイメージはむしろうすい。まさにそれは前述の意味での「現代美術」とよぶべきものだった。

一方後者を代表するものとして、戦後の日本美術院がある。もちろんそれは守旧の意味ではなく、戦後の日本画滅亡論をふまえた日本画の未来の一つの選択としてである。ここで重要な位置を占めた仏教とシルクロードの主題は、天心の「アジアは一つ」という東洋観を継ぎながら、そこから政治性と思想性を排し、歴史の中に世界性のイメージを追求してみせたものだった。その世界性は西洋ではなく東洋だったが、脱「日本」の世界志向として見れば、確かに戦後の文脈を反映していたといえる。

そして近年さかんに行なわれている「日本画とは何か」という議論は、そうした動向をひっくるめた上でさらに、戦後半世紀を経た日本画の存在性じたいが、新たな転機にさしかかったことを示している。その背景あるいは原因には、次のようなことが考えられる。

前述のように、「日本画」は「西洋画」と二つで一パックの相対概念だった。その相対構図じたいは、成立から百年を経た今もなお崩れていないわけだが、時間の経過によって、日本画じたいの中に当初とは大きな変化が生じることになった。とくに戦後の日本画は、明治から昭和戦前の間の変化以上に大きな変貌をとげており、しかも「現代美術」ともからんだ部分のそれは、日本画の枠にとどまらない絵画理念の根本にかかわる変化だった。

平成六年郡山市立美術館で開催された「日本画家の青春」という展覧会は、戦前・戦後のその違いを浮き彫りにした面白い展覧会だった。第一部に明治から戦前までの若手作家の日本画を展示し、第二部に現在の若手作家の現代美術と言った方がいいような作品を展示したのだが、両者は同じ「日本画」として括るには明らかに違和感のある内容だった。企画者の狙いもそこにあった。

案の定シンポジウムで、水墨画同好会に入っているという老人から、なぜ第二部の作品も「日本画」なのかという質問が出た。ここでコメントを求められた第二部の出品作家は、「僕は特に自分の作品を日本画とは考えていない」と答えた。それに対してさらに別の聴衆から「ではなぜこの『日本画』展に出品したのか」という質問が出て、議論は迷路に入っていった。

結局このやりとりが浮き彫りにしたのは、議論のポイントが作品よりも「日本画」の概理念規定の曖昧さにあることだった。第二部作家を日本画家としてつなぎとめているのは、彼らが芸術大学の日本画科卒業であるとか、作品が岩絵具(いわえのぐ)と膠(にかわ)で描かれているという、理念ではなく経歴出自や素材技法の要因だったのである。

しかし本章の第二節で触れたように、そもそも「日本画」の定義は歴史的に行なわれたことがなかった。概念規定がなかったからこそ、即物的な素材や出自が規定のわずかな拠り所として持ち出されているのだ。同時に、概念規定のないまま日本画が長く展開し、しかしその結果当初と現在で実態が大きく違ってしまったために、日本画とは何なのかという疑問が生じたのだといえる。つまりこの疑問は、洋画との関係からではなく、日本画内部の経時的変化に起因しているのだと考えられる。

「現代美術」が戦後新たに起こった表現様式をさすのであれば、第二部の作品は、日本画というより現代美術と言った方が明らかに実態に合っている。第一部と第二部は、実質的には「近代日本画」と「現代美術」が対置されていたのである。

「日本」像のゆらぎ――「近代」「現代」の転換点

日本画とは何かという議論の背景には、もう一点重要な問題として、「日本画」の語に冠された「日本」という概念のゆらぎがあるように見える。

敗戦によって日本は国家主義の皇国日本を否定し、民主主義国家として再出発する。しかし戦後日本は、皇国日本の支柱をなした宗教・思想問題については清算することなくこれを避け、フタをしたまま積み残した感が強い。精神領域にも深くかかわってきた近代の「日本」意識は、宗教・思想を骨抜きにした状態で、しかしその枠組はそのまま持ちこされたのだといえる。

その一方で、戦後日本が気がねすることなく驀進してきたのが、世界性や普遍性に通ずる経済と科学だったように見える。精神的空白を物質的豊かさの追求にすりかえてきたともいえる。

現代美術が制作や鑑賞の文法を一つ一つ否定し、物質論や知覚論、認識論などに強い関心を示してきたこと、戦後の美術史研究がX線・赤外線など自然科学の手法を積極的に導入してきたこと、文化に関する学問が人文〝科学〟となったことなども、政治・思想・宗教より科学を普遍的基準として捉えようとした、戦後の志向を物語っているように見える。

しかし現実に戦後世界を固定した冷戦構造の崩壊と、それに続く世界再編の中で、日本もまた新たな国際関係の中での自己規定を迫られているのが現状だろう。

そうした状況からすると、現在の「日本」像のゆらぎは、第一に明治以降の日本が作りあげ、決算しないまま戦後に積み残した近代の「日本」像、第二には、「現代」を支えてきた世界システムによる戦後の「日本」像、そのいずれもが転換点を迎えていることに起因しているのだと考えられる。つまり長い時間のスパンでの「近代」、短いスパンでの

「現代」の両方の転換点の上で、「日本」像がゆらいでいるのである。日本画とは何かを問う現在の意識の根底には、この「日本」像のゆらぎがあるように見える。日本画の前に、そもそも「日本」とは何だったのかという、近代・現代史の文脈からの問いである。

ただこれが「現代」の転換点にあることからすれば、問題はひとり日本画だけの問題ではなく、現代美術そのものの問題でもある。それは戦後の「現代」が次に何を求めるのかという、二一世紀へ向けた「現代」と「日本」の未来論でもあるのだ。

第四章　美術の環境——階層・行政・団体・コレクション

1　美術と階層

「士農工商」から四民平等へ

さてここまでは、美術にまつわることばの問題を中心に見てきた。ここからは、美術を支えた政治・経済・社会的な環境について見てみることにしよう。それは国内問題としてだけでなく、一九世紀後半以降の国際情勢にも深く連動していた。美術の振興が、近代日本の国家戦略・国際戦略として行なわれたものだったからである。

「美術」という概念と制度も、そのようにして作られたわけだが、本節ではまず社会学的な観点から、「美術」の生成が近世・近代の階層制とどのような関係にあったのかを見てみよう。[47]

近代の「美術」が、狩野派など前代の支配階級の美術を実態的なベースとして出発したことについては、第二章の「工芸」の所で部分的に触れた。もう少し広く見てみよう。「美術」や「絵画」「彫刻」「工芸」といったジャンル概念もなかった前代まで、美術は基本的に、いわゆる美術に限定されない個別の職能・技能として存在した。仏師、絵師、塗師といったあり方だ。しかしそれは畳刺(たたみさし)、経師(きょうじ)、傘張といった他の職能とも、特に区別されたものではなかった。職能じたいにおける分類や上下はなかったのである。

またそれにかかわる人々を総括したのは、「職人」ということばだった。どのような職種の人々を「職人」と言ったのかは、時代によってやや違いがあり、鎌倉・室町時代には楽人、舞人、陰陽師、巫女、医師、漁夫といったものまで含んでいたが、江戸時代にはほぼ手仕事、モノ作りの職種をさす傾向が定着している。

そうした中で職人には、戸外で働く出職と居職があった。のちに美術となる職能の多くは、居職の方に属すものだったといえる。

またのちに美術家となった職能は、様々なモノ作りの最終工程者のケースが多いように見える。たとえば絵画でも、完成にいたるまでには紙漉き、墨作り、筆作り、表具師など様々な職能が関係しているわけだが、美術家となったのはそうした素材製作者ではなく、最終オーガナイザーとしての造形者だったわけだ。

職能と身分制の関係で言うと、前述のように士農工商を説明した西川如見の『町人嚢』（一七一九年）では、「工は諸職人なり」として、職人イコール「工」階級としていた。これからしても、いわゆる美術にまつわる職能が、「工」階級に大きな比重があったことは間違いない。

ただそれは比重としてであって、職能と身分制が一致していたということではない。たとえば同じ絵描きでも、御用絵師は武士身分を持っていたのに対して、庶人文化の浮世絵師の多くは町人だった。また北斎や広重、明治の小林清親らのように、逆に士分を持つ浮世絵師もいた。

つまり、同じ絵画でも、武士階級の狩野派・住吉派、朝廷の土佐派、町人階級の浮世絵といった各階級の絵画が形成されているのである。

こうした状況は、絵画に限らず基本的に職能として存在した美術が、社会的にはそれぞれの階層で〝階層美術〟というべきものを形成し機能していたようすをうかがわせる。そうした美術の中で、近代の官製「美術」にベースとして流れこんだのが、武士・公家の支配階級と富裕階層の美術だったわけだ。

法制としての身分制は、明治二年の版籍奉還によって廃止され、ここで公卿・諸侯（大名）は華族、武士は士族、農工商の庶民は平民として再編された。新たな〝国民〟の形成に向けた四民平等が実現したわけだ。しかし実際にはこの新区分の戸籍表記が、平民は大正三年の戸籍法改正まで、士族は昭和二二年の新憲法発布まで行なわれている。そのためとくに士族意識は、維新後もかなり長く続いていた。

そしてこうした身分の出自や階層意識が、実は新生「美術」の実態面に、様々な形でしかも深く作用したらしいのだ。四民平等、国民意識の統合という建前上、公的な記録や作家のことばにそれがはっきりと記されているケースはむしろ少ないのだが、近代の有力美術家となった人々の身分や階層の出自を調べてみると、時期的に早いほどその影響は露骨なまでにはっきりしている。むしろ当時の人々にとってそうした社会的意識は、口に出すまでもない前提だったのだろう。記録に残されなかったから逆に、世代がかわっていったん忘れられると検証も難しくなってしまったのだと思われる。

「美術」家の出身階層

正確に言えば、身分は法制概念、階級は経済概念で同じものではないのだが、ここではまず明治期の「美術」を担った人々の出身身分を見ておこう。

まず第一に注目されるのは、洋画・西洋彫刻など西洋系美術の作家に、圧倒的に士族が多いことである。これは、工部美術学校から明治美術会にいたる洋画旧派、白馬会の新派のいずれもそうで、新旧の派閥を問わない傾向といえる。

近代日本が西洋を指標としたことからすれば、西洋系美術にかかわった彼らがエリート意識を持っていたことは、容易に想像される。しかし彼らの多くが士族だったことからすれば、そのエリート意識は平民に対する士族という、階級的なエリート意識もベースにあったことを予想させる。

日本画の場合、洋画ほどその傾向は強くないものの、基本的には同じことがいえる。というより、そうした人々が有力者になったというべきだろう。東京美術学校の開校（明治二二年）当初のスタッフは、狩野芳崖、橋本雅邦、狩野友信、結城正明ら、旧幕府御用絵師だった狩野派の画家が中心になっている。当然彼らは士族である。

日本画旧派の日本美術協会（明治二〇年結成）でも、この狩野派と谷文晁系の南北合派の画家が中心になっていた。南北合派は御用絵師ではなかったのだが、この流派の画家にはもともと武士だった者が多い。松平定信に仕えた谷文晁、田原藩士の渡辺崋山をはじめ、明治でも古河藩の家老の娘だった奥原晴湖、足利藩士の田崎草雲などがいる。彼らの場合、絵より武士の方が本業だったケースも少なくない。その分彼らは、同じ士分でも実質的には職業画家だった狩野派に対して、武士の教養主義絵画（その意味での文人画）としてのプライドを感じていたかもしれない。したがって南北合派が日本画旧派で重きをなしたのにも、もともと権力に近く武士出身の士族が多かったことが強く影響していると思われる。

一方、東京画壇の主導で進む美術の制度化に対して、一定の自治性を保ちながら対応していった京都画壇でも、その傾向は同じである。

ただ歴代公家の土地だった京都には、江戸時代でも画家が御用絵師たるべき大名がいなかったわけだから、宮廷の絵所預だった土佐派のように禁中御用をつとめる画家はいても、士分を持つ京都代々の御用絵師はいなかったことになる。事実、幕末から明治前期に京都で活躍した武士・士族の画家は、他藩出身で京都で学んだ人々だった。

たとえば森寛斎は毛利藩士、岸竹堂の父は彦根藩士、鈴木松年の父は赤穂藩士、幸野楳嶺の父は幕府の京都町奉行である。洋画の小山三造の父も駿府藩士だった。京都画壇は代々京都に住む画家で支えられてきたイメージが強いが、少なくとも幕末期の士分を持つ画家は、本籍を他藩に持つ人々だったことがわかる。

つまり明治前期までの京都画壇は、他藩出身で京都派の士族画家と、宮中関係の画家によってリードされたのである。明治一三年に開校した京都府画学校の東西南北四宗（第三章「東洋画」参照）の当初の教諭も、すべてそうした人々だった。自治性の強い京都画壇で、もし諸階層の画家が一堂に集まった場面を想像してみるとしたら、誰にリードしてもらいましょうかという話になれば、当然暗黙のうちにそうした人々に決まっただろう。

彫刻関係者について言えば、西洋系は前述のように士族が多い。藤田文蔵（ふじたぶんぞう）は鳥取出身の士族、長沼守敬（ながぬまもりよし）の父は一関藩士である。ただ伝統彫刻系の場合は、御用彫師という制度がなかったため庶民出身者が多い。そうした中で東京美術学校の教官となった高村光雲（たかむらこううん）、山田鬼斎（やまだきさい）は仏師出身、石川光明（いしかわこうめい）は宮彫出身である。工芸関係者の場合は、もともと士農工商の「工」の階級に比重があったわけだから、当然庶民階級の出身者が多い。その中で東京美術学校で彫金の教官となったのは、幕府の御用をつとめた後藤系の加納夏雄（かのうなつお）だった。

以上のことから、「美術」と前代の身分や階層の関係として、次のようなことがいえる。

まず第一に、西洋系美術の作家には絵画、彫刻を問わず士族が多いこと。

第二に、絵画では洋画・日本画、それぞれ新旧の派閥を問わず、やはり士族が多いこと。

第三に、伝統系の彫刻と工芸には、庶民階級出身の平民作家が多いこと。

第四に、ただそうした伝統彫刻・工芸の関係者の中で官立の美術学校の教官や帝室技芸員になった人々には、仏教美術や宮廷関係の美術の出身者が多いこと。仏教美術も権力に支えられてきたものだったわけだから、彼らもやはり広義で旧支配階級の美術の出身者（あるいは関係者）だったことになる。

第五に、明治以降の「美術」は、前代の支配階級・富裕階級の美術を出発点に、今度は西洋から移植された「絵画」「彫刻」「工芸」というジャンルの枠を基本に振興が図られていくこと。制度上の〝和魂洋才〟といえる。

第六に、しかしそのジャンルでは、西洋美術の体系にならって絵画・彫刻を上位、工芸を下位に位置づけた振興が図られたこと。ここで絵画に士族作家、工芸に平民作家が多かったことが、絵画・彫刻を上位、工芸を下位とするジャンル間の上下関係を強化する日本側の要因として作用したと考えられる。平民で官立機構の教官となった伝統彫刻系の作家の場合は、意識の実態としてはちょうどその中間にあったと思われる。

第七に、美術の制度化をめぐる様々な抗争が、日本画・洋画ともに新旧両派に分かれて激しい抗争をくり広げたことなど、絵画を中心に起こっていることは、絵画が西洋移植のジャンルのトップにあったからだけでなく、実際には士族間の権力闘争としての性格も持っていたこと。

第八に、その点彫刻・工芸作家が新旧どちらの美術団体にも参加していることは、絵画が官製「美術」の権力の中心に位置づけられたのに対して、彫刻・工芸は権力の周縁部に置かれていたためと考えられること。

以上のようなことがいえるだろう。

出身藩と立身出世

ところで明治期の「美術」家の社会的地位には、出身階層の問題のほかにもう一点、出身藩が維新時に佐幕・新政府のどちら側の立場をとったかが大きく影響したように見える。とくにそれは、「美術」の中心に置かれた絵画の作家（画家）の場合に著しい。

山口昌男氏はその著書『「敗者」の精神史』（岩波書店、平成八年）で、在野で自娯的（文人的と言うべきか）な活動をした知識人には、旧幕臣や佐幕藩の出身者が多いことを指摘したが、それは美術でも基本的に同じことが言える。[48]

出身藩の問題がもっとも端的にあらわれたのが、洋画の新旧両派の顔ぶれである。

まず初期洋画と旧派系の工部美術学校・明治美術会には、旧佐幕系の藩の出身者が多い。初期洋画の川上冬崖、高橋由一、島霞谷は、いずれも幕府の開成所画学局の出身だから、直接の幕臣だ。また川村清雄の祖父は一五〇〇石の大坂町奉行、彭城貞徳の父は長崎唐通事だから、彼らも幕臣の子だ。五姓田芳柳の父は徳川御三家の紀州藩の藩士だった。高橋源吉、五姓田義松は、それぞれ高橋由一、五姓田芳柳の息子である。

高橋由一

　また中丸精十郎は幕府の天領甲州藩の出身で、小山正太郎の父は戊辰戦争で政府軍と激戦を交えた長岡藩の藩医だった。松岡寿・原田直次郎の岡山藩、浅井忠の佐倉藩も、新政府に恭順したもともとは佐幕系の藩である。

　それに対して洋画新派の白馬会には、藩閥雄藩の出身者が多い。黒田清輝は薩摩藩の名門の生まれで、和田英作・藤島武二も薩摩藩出身である。また、『米欧回覧実記』を書いた歴史学者・久米邦武を父に持つ久米桂一郎と岡田三郎助は、ともに佐賀藩出身者だ。

　白馬会が結成された同じ明治二九年、東京美術学校に新設された西洋画科に教官として迎えられたのも、黒田清輝と藤島武二（ともに薩摩藩）だった。以後、同校の西洋画科と白馬会は、ほとんどイコールの存在として展開する。したがって日本洋画のアカデミズムは、まさに藩閥勢力を権力背景として形成されたことがわかる。

　明治三〇年代以降は、この東京美術学校派が、洋画における高等美術教育や官展といった制度の中枢をになっていく。明治四〇年に文部省美術展覧会（文展）を開設したのも、黒田清輝と東京美術学校校長の正木直彦、この時の首相の西園寺公望たちだった。

それに対して旧派系の洋画家は、教科書編纂などの初等中等の美術教育や（小山正太郎）、東京高等工芸学校（松岡寿）、各地の師範学校の図画教師など、美術の普及教育の方面に多くかかわっていった。

こうした状況は、美術の制度と権力をめぐる主流・非主流の力関係を如実に示している。一方、日本画の場合、士族画家が画壇の中心となった点では洋画と同じなのだが、出身藩の状況でいうと洋画とはかなり状況が異なっていた。日本画に限らず一体に伝統系美術の有力者の場合、前代の制度や階級制に結びついた出自ゆえの有力者だった。そのため、有力者は必然的に旧幕系の人材が多かったといえる。

黒田清輝

確かに京都の森寛斎、東京の狩野芳崖（ともに長州藩出身）のように、藩閥雄藩の有力者はいた。東京美術学校設立の際、芳崖は時の首相伊藤博文邸を突然訪ねて直接談判しているのだが、一介の画家が紹介もなしに首相に面会できたのも、同じ長州出身でなければありえないことだった。しかし寛斎と芳崖が有力者となった文脈は、基本的に寛斎は円山派、芳崖は狩野奥絵師系の有力者としてのものだったから、その

狩野芳崖

意味ではやはり旧幕系という文脈に乗っている。そうした出自傾向は、ちょうど洋画旧派のそれに近い状況といえる。その点、新体制下での権力基盤が弱かったことは否めない。

実は伝統系美術のみで発足した東京美術学校のアキレス腱も、まさにこの点にあった。そもそも東京美術学校を設立したのは、お雇い外国人のフェノロサ（アメリカ）と岡倉天心である。天心は、徳川家家門の松平氏に仕えた福井藩士の子だった。そして彼らが伝統美術のみで東京美術学校を作ろうとした時、それに強く反発したのが、西洋派の文相森有礼（もりありのり）だった。森は薩摩藩出身である。ここにいたってフェノロサと天心は、時の首相伊藤博文に談判してやっと設立にこぎつけたのだった。ただしその設立は、大学としてではなく各種学校扱いでの実現だった。芳崖が博文邸を訪ねたのも、その苦境下での一コマだったわけだ。

それからすれば東京美術学校は、本省の大臣が反対の西洋派というきわめて危うい権力基盤で出発したことがわかる。明治二九年に西洋画科を新設し、薩摩藩名門の黒田清輝らを迎え入れたのも、じつは西園寺公望らの策謀で、当初の天心の計画とは違うものだった。

東京美術学校騒動で結局天心は、同校を逆に追い出されてしまうことになる（吉田千鶴子「東京美術学校と白馬会」近代画説　五　明治美術学会　平成八年）。ただ東京美術学校じたいにとっては、黒田ら藩閥勢力の取りこみによって、結果的にはたしかに体制内での権力基盤の強化になったのだった。

この明治二九年の〝戦力補強〟では、当時ドイツ帰りの舌鋒鋭い批評家として飛ぶ鳥を落とす勢いだった森鷗外も、美学の教官として採用されている（ただし嘱託。解剖学の嘱託講師としては明治二四年から）。鷗外は津和野藩出身だが、津和野藩は幕末から積極的な長州支持の立場をとっていた藩だった。この人事も、同じ結果をもたらしたように見える。

のちに陸軍軍医総監、帝室博物館総長、帝国美術院長（初代）に栄進した鷗外と、貴族院議員、帝国美術院長（二代）となった黒田の生涯は、よく似ている。藩閥政治の追い風が、彼らを文学者・美術家にとどまることを許さなかったのであり、それを背負うのがこの時代に生まれた彼らの宿命だったのだ。

フェノロサ

東京美術学校騒動

しかし、同じように国家を背負いながらも旧幕雄藩出身の天心にとっては、藩閥政治は追い風ではなく逆風として吹いた。明治三一年の東京美術学校騒動がそれで、同校内の天心批判派が出した怪文書に端を発したこの事件では、天心以下多数の教官が辞表を出すにいたり、一大騒動に発展した。辞職派が新たに結成したのが、日本美術院(三一年)である。

天心派がいっせいに辞表を出したこの騒動の時、黒田や鷗外らは天心に全く手をさしのべていない。今皆やめれば学生に混乱が生じるという柔らかい言い回しで、黒田は任にとどまる意志を天心に伝えている。天心もこれに対して批判めいたことは言っていない。黒田の政治的立場を、天心もよくわかっていたからだろう。

一方、天心派の最右翼だった教官の顔ぶれを見ると、横山大観は水戸藩、下村観山は紀州藩と、いずれも徳川一門の藩の出身者である。菱田春草の飯田藩も、新政府に〝恭順〟した佐幕系の藩だった。つまり日本美術院は、福井藩の天心、水戸藩の大観、紀州藩の観山、幕府奥絵師の橋本雅邦と、バリバリの旧幕主藩出身者を中心に設立されたのであった。

それからすれば、騒動の時、藩閥で固められた本省(文部省)に、彼らの有力な支援者がいなかったことは容易に想像される。東京美術学校という体制機構を実現しながら、結局は藩閥政治に足をすくわれる形になったのだった。体制内での主流・非主流の力関係が暴発したケースと言える。天心がもし、黒田同様に藩閥出身者だったならば、騒動の結末も違うものになっていただろうと思われる。

ただ天心の場合、その後も古社寺保存会の委員は続けるなど、完全失脚にいたったわけではなかった。それはひとえに、天心が新体制下の最高学府・東京大学の卒業で文部省官僚だったという経歴と、その人脈によるものだったと思われる。その点天心は、体制内での非主流ではあっても、決して純然たる在野ではなかったのである。それは〝在野精神〟をうたった日本美術院にも言える性格だった。むしろ〝在野〟をうたったのは、大衆の支持獲得のための戦略だった感が強い。自由民権運動と同じである。これについては、第三節であらためて触れることにする。

2 美術行政

美術の国家戦略

ところでひと口に美術といっても、様々な局面がある。それにかかわる人々も、制作者、学芸員、批評家、研究者、画商、鑑定家、修復家、プロダクションなど、多岐の職業にわたっている。これは美術がそれだけ様々な属性を持ち合わせているからであり、美術が美術としてあるのも、作品としてだけでなくそれをめぐる社会環境に支えられているからである。

このこと自体は、近代だけでなくいつの時代でも同じである。ただその環境は、時代によって当然大きく異なる。

明治期の場合、他の時代と違って特徴的なのは、一九世紀後半の国際情勢を前提にした対外・対内の国家戦略として、美術が扱われたことである。まさに国家が政策として美術を扱ったのだった。「美術」が官製の概念として作り出され、様々な〝美術の制度化〟が政府主導で進められたのも、このためである。

その政策は、具体的には次の三つの美術行政として行なわれた。[49]

一　殖産興業としての美術工芸品の振興と輸出

二　古美術保護

三　美術教育制度の確立

まずごく簡単に概観しておくと、一の殖産興業としての美術工芸品の振興と輸出というのは、ちょうど一九世紀後半の欧米にまき起こった熱狂的な日本美術ブーム、ジャポニスムを需要とした美術工芸品の生産と供給（輸出）である。二〇世紀に入って、ジャポニスムが沈静化するとともにこの政策も重要性を失っていったから、時期的には明治期、それも明治前半期までが特に重要な意味を持っていた。これを担当した省は、はじめ内務省、明治一四年以降は新設された農商務省である。

二の古美術保護は、維新による旧体制の崩壊や廃仏毀釈によって、破壊と流出の危機にさらされた古美術品を守ろうとしたもの。後述するように、当初は〝考古利今〟の理念から一の殖産興業と相互補完の関係にあったが、明治二〇年前後からは、近代天皇制による日本の歴史を象徴する歴史遺産としてそれを保護する傾向が強まった。担当省は、初め内務省、明治二〇年代以降が宮内省と内務省である。時代が下って、現在の文化財保護法（文部科学省）につながる。

三の美術教育制度の確立というのは、具体的には高等美術教育の機関としての東京美術学校の設立（明治二〇年）、および初等中等教育のための図画教科書編纂である。担当省は、一貫して文部省である。

一〜三それぞれの行政が対象としたのは、二が古美術、一と三が当代美術（当時の美術）である。

ただ同じ当代美術でも、一と三ではその趣旨からしても振興の意図が全く違っていた。一の殖産興業は〝産業品〟としての振興であり、三の美術教育は〝美術品〟としての振興だった。前者が輸出を前提としたのに対して、後者は近代国家にふさわしい文化創出の一環にあり、輸出とは無関係だったのである。

振興されたジャンルも、きれいに分かれた。一の殖産興業では、ジャポニスムの嗜好を反映して工芸品が中心となったのに対して、三の美術教育では、西洋の制度にならって絵画・彫刻が中心となった。つまり、前者はジャポニスムの経済的需要に、後者は西洋美術の価値体系に、それぞれ照準を定めた振興を図ったのであった。そのため、以後工芸品は〝産業〟として農商務省、絵画・彫刻は〝美術〟として文部省が振興するという行政分担も成立する。このことが、工芸は美術か産業かという議論にも影響しているのだが、これについては後述する。

また、一〜三の活動の拠点となったのは、一の殖産興業が博覧会、二の古美術保護が博物館、三の美術教育が美術学校である。

前述のように、三の東京美術学校の設立が明治二〇年、また相互補完関係にあった殖産興業と古美術保護が分離するのも明治二〇年ごろからだから、一〜三いずれにとっても、明治二〇年ごろが一つの画期となっていることがわかる。国家体制の完成に合わせて、〝美術の制度化〟もそれぞれ目的ごとに完成を見たのであった。

では一〜三について、もう少しくわしく見てみよう。

殖産興業としての振興

植民地化の危機にさらされていた明治初年の日本にとって、国家体制の整備と国力の増強は、何にも優先すべき至上の国家命題だった。富国強兵、殖産興業はそのための軍事・経済・産業政策であり、ここで振興され輸出されていった工芸品も、富国という国家使命を負って海を渡って行った〝産業戦士〟だったといえる。

この殖産興業で博覧会事業が重要な意味を持ったのは、博覧会が持つ情報戦略上の意義からだった。

一九世紀後半の世界は、まさに博覧会の時代だった。近代ナショナリズムが競い合い、産業革命による先端技術が一堂に展示された万国博覧会は、日本にとっても情報収集と国威発揚の絶好の場だった。一方、その国内版として開催された内国勧業博覧会は、万博で得た情報を国内に周知し、中央集権化を進める政府の主催のもとで、今度は地方が競い合う場だった。

日本が万博に参加したのは、慶応三(一八六七)年のパリ万博に幕府と薩摩藩・佐賀藩が参加したのが最初である。明治新政府の参加は、明治六(一八七三)年のウィーン万博が最初で、以後官民をあげて毎回のように参加した。

内国勧業博覧会は、明治一〇年の第一回から三六年の第五回まで計五回開催された(一四年第二回、二三年第三回、二八年第四回)。美術教育による美術振興が始まるのは明治二〇年代以降だから、それ以前は殖産興業が、当代美術振興の唯一の政策だった。そのため美術にとっては第一、第二回展がとくに重要な意味を持っている。

内国勧業博覧会の開催が不規則なのは、万博参加を優先させたためらしい。そもそも内国勧業博覧会の開催や殖産興業じたいが、輸出拡大を目的としていたわけだから、当然といえば当然といえる。内国勧業博覧会の出品分類や出品形式が万博にならって設定されたのも、万博と内国勧業博覧会という内外二つの博覧会を、二重のトランス装置として機能させ、国内各地の地場産業と国際市場を連結・同調させるためだった。

ところで国家の将来をになうのは工業だったから、産業振興も本来工業に重点が置かれるべきだった。しかし技術力が不十分だったため、暫時それは工作機械の輸入とその技術移植という形で進められる。そのためにも万博参加は重要だったわけだ。日本で工業が自立的な発達を見るのは、軽工業が日清戦争（明治二七～二八年）ごろから、重工業は日露戦争（同三七～三八年）ごろからのことである。

その間、在来産業の生産力も不十分な中で、輸出品の中心となったのは銅や生糸、茶など農鉱業の原材料だった。そのため、内国勧業博覧会でもまずは農鉱業の振興に力が注がれる。

そうした中で、ジャポニスムの高い需要を誇った工芸品も、振興に力が注がれたのだった。それは在来技術での生産が可能な、数少ない〝手工業〟製品だった。機械工業が軌道に乗る明治二〇年代後半までの間、「工芸」と「工業」の語が同義的に混用されたのも、

図32　ウィーン万博会場

このためである。

ここでは陶磁器、漆器、金属器、七宝などが重要輸出品目に指定され、重点的に振興されている。殖産興業政策のトップ官僚佐野常民（さのつねたみ）によれば、明治一〇年代後半から二〇年代の美術工芸品の輸出額は、総輸出額の約一〇分の一だったという。これからしても、おびただしい数量の美術工芸品が輸出されたことがわかる。

こうした殖産興業としての工芸振興を政府に決断させたきっかけは、何といってもウィーン万博で工芸品が絶賛を受けたことだった（図32）。ただこの絶賛は、偶然ではなかった。一連の出品計画を依頼されたドイツ人ゴットフリード・ワグネルが、まだ日本の機械工業が未発達なため、彼自身深い関心を持っていた美術工芸品を展示の中心とすることにした事前の戦略が、功を奏したのだった。以後ワグネルは、草創期の日本の博覧会事業に多大の貢献を残すことになる。いわば三の美術教育におけるフェノロサと同じような役割を、ワグネルは一の殖産興業で果たしたのだった。

博物館と美術館

こうした産業と一体化させた美術の振興は、実は一九世紀後半の西欧で力が注がれた方法でもあった。イギリスのサウス・ケンジントン博物館（現ビクトリア・アンド・アルバート美術館）、パリの装飾美術館、ウィーンのオーストリア応用芸術博物館は、そのような美術を収集展示するために作られた博物館だった。

日本の殖産興業による工芸振興も、基本的にこの方法をとり入れたものだった。したがって創立当初の博物館も、サウス・ケンジントン博物館に近い性格を持っていた。良質の古美術品とともに、万博や内国勧業博覧会の出品作の中から良質の当代美術工芸品を収集し展示することで、啓蒙とさらなる生産の向上を図ったのである。博物館の後身である現在の東京国立博物館に、明治前期の殖産興業がらみの作品が残っているのも、このためである（図33）。

図33　初代宮川香山　蟹水盤（東京国立博物館蔵）

つまり博物館は、そもそもは殖産興業政策によって設立されたわけだ。ちなみに「博物館」という名称は、明治五年に開催された湯島聖堂博覧会の際、会場となった大成殿を称したのが最初である。以後博物館は、何カ所か移転したのち、明治一五年に上野公園に開館した。

また「美術館」が成立したのも、殖産興業政策の中でだった。明治一〇年の第一回内国勧業博覧会で、他の出品区分の展示館、農業館や器械館、園芸館などとならんで、美術を展示する「美術館」としてできたのが最初である。したがって「美術館」は、当初一つの産業館として成立したのだった。もちろんその対象は当代美術である。

博物館は殖産興業の中で成立したものの、実際に扱うのは古美術の方が多かったから、博物館は古美術、美術館は近代美術という現在でもある漠然としたイメージは、すでにその成立時からしてそうだったことがわかる。いわば博物館は殖産興業における〝考古〟、美術館は〝利今〟の場としてあったわけだ。ただ博覧会場での美術館は、一回性の展示場

佐野常民

であって恒久的な建物ではなかったから、収蔵品を持つことはなかった。

またすでに触れたように、殖産興業を担当したのは農商務省だった。そして産業としての工芸は農商務省が扱うという構図も、その後長く続いた。象徴的だったのは、明治四〇年に開設された文部省美術展覧会（文展）が日本画・洋画・彫刻のみで始まり、工芸は排除されたことである。運動によって、昭和二年の第八回帝国美術院展覧会から工芸の部門が置かれたが、ここでの部門は「美術工芸」だった。その間工芸を振興したのは、大正二年から始まったいわゆる農商務省展「図案及応用作品展覧会」で、大正八年に「工芸美術展」と改称されている。農商務省が商工省となってからも、商工省展として戦前まで続け

られた。

こうした政策分担が、工芸を二分化、三分化させてしまったように見える。文部省が担当する「美術工芸」、農商務省が扱う「工芸」という区分である。さらにこれに、宮内省の帝室技芸員の工芸が加わるからややこしい。「美術工芸」家が任命された帝国美術院（帝国芸術院）会員は、戦後日本芸術院会員となった。帝室技芸員制度は戦後廃止されたが、すでに任命されている場合、その資格は戦後も終身有効とされた。一方「工芸」家の任命制度は、戦前はなかった。戦後の制度で言えば、人間国宝や現代の名工あたりが近いものだろうか。現在、人間国宝は文部省文化庁の担当、現代の名工は厚生労働省の担当である。ただし、人間国宝は工芸のみで、絵画・彫刻関係者はいない。

絵画と彫刻の場合、「美術」としての価値判定は制度に支えられている部分が強いのだが、工芸の場合、逆に制度によってひきちぎられてしまった感が強い。

古美術を保護せよ

次に二の古美術保護の行政について見てみよう。

古器物破壊の発端は、慶応四（明治元）年三月に維新政府が出した神仏分離令だった。これによって廃仏毀釈が全国に広がる。おそらく仏教伝来以降、最大の廃仏運動だったかもしれない。これに価値観の崩壊や文明開化による伝統美術の軽視が続く。

それに対して政府は、明治四年三月、太政官から布告を出して古器旧物の保存を訴えた。その後、この古器物保護はほぼ博物局が担当したため、その移管にともなって担当省も太政官正院（明治六年〜）、内務省（同八年〜）、農商務省（同一四年〜）と移動する。要するに省より博物局の担当と考えればいい。具体的な場所としては、博物局の中でも博物館が古器物の収集保護の中心となった。

ところが、この博物局は同時に、殖産興業の博覧会事業の中心部局でもあった。輸出を目的とした殖産興業と、海外流出を防ぐ古器物保護が同じ部局で行なわれていたというのは、一見明らかに矛盾している。

ここで両者を結んでいたのが、〝考古利今〟の理念だった。つまり良質の古美術品を博物館で収集、保護、展示することで人々を啓蒙し、それによって良質の当代美術工芸品の生産と輸出に結びつけようとしたのである。したがってここでの古美術保護は、殖産興業を補佐する立場に置かれていたといえる。殖産興業を古美術保護に優先させたわけだ。植民地化の危機に直面して、歴史の保持より、まずは殖産興業による国力増強と主権の保持が優先されたということだろう。

古美術品が最も大量に海外流出したのは、明治一〇年代までのことだから、まさにこの時期のでき事だ。同じ省内で輸出振興（当代美術）と流出防止（古美術）をやっているのだから、流出の実態も知らないはずはない。ある意味で海外流出は、外貨獲得、国力増強の最優先の中で〝黙認〟されていたのではなかったかという感さえある。

博物局が重要な部局だったことは、それを担当したメンバーの顔ぶれにもあらわれている。まず殖産興業政策のトップだった佐野常民は佐賀藩の出身で、慶応三年のパリ万博に佐賀藩から派遣された人物である。また古器物保護の中心にあった町田久成（まちだひさなり）は薩摩藩士、博覧会事業の中心にあった田中芳男（たなかよしお）は物産学が専門で、幕府の洋学の総合研究機関だった開成所にいた人物である。つまり藩閥、旧幕を問わず人材が結集しているのである。そもそも博物局じたい、幕府の開成所を母体に作られたものだった。新体制は、人的・機構的にゼロから出発したのではなく、重要部署ほど利用できる組織や人材は幕府のものでも最大限に生かしながら作られていったことがわかる。

ところで、殖産興業を支援する立場にあったこうした古器物保護にとって、大きな活動の転機となったのが、博物局（農商務省）の管轄下にあった正倉院が明治一七年、博物館が一九年に、ともに宮内省に移管されたことだった。二〇年には、宮内省に保管される御物のうち、日常的に使用されないものが博物館に移され、さらに博物館は二三年に帝国博物館として開館する。

ここにいたって古美術保護は、殖産興業から完全に切り離され、今度は御物を中核とした歴史遺産としての古美術保護を図ることになった。もちろんこれは天皇制の確立を背景にしているのだが、そうした形での社寺や陵墓、史蹟などの旧慣保存は、高木博志氏によればすでに明治一〇年代に入って始まっていた。[50] 二〇年代に入ってそれが本格的化するわけで、ここで古美術保護は、殖産興業路線から皇室がらみの旧慣保存の文脈に乗せかえられたわけだ。

明治二一年には宮内省に臨時全国宝物取調局が設置され、一〇年代から大蔵・内務・文部省などが共同で行なっていた古社寺調査を、本格的に行なっていく。この局は帝国博物館に置かれたため、同館総長の九鬼隆一（くきりゅういち）と美術部長の岡倉天心がその中心となった。この時天心は、東京美術学校の校長と兼務である。そして同局での調査成果と、九鬼・天心のコンビネーションが、明治三三年の初の官製日本美術史『稿本日本帝国美術略史』へと結実していくことになる。これについてはのちほど再び触れる。

また同局の調査で、美術品に等級づけ（一〇等級）を行なっていることも注目される。現在の文化財指定の始まりである。「国宝」という語も、この時はじめて使われたものだった。

ただ臨時全国宝物取調局は、その名の通り〝臨時〟の組織だった。正式な組織として設置されたのが、明治二九年の古社寺保存会であり、翌三〇年の古社寺保存法だった。ここにいたってはじめて、古美術保護のための法制と機構の整備が完成したといえる。

明治三〇年といえば一八九七年、二〇世紀はすぐそこだ。二〇世紀に入って西洋のジャポニスムが沈静化していくのには、西洋でジャポニスムへの関心が薄れていったことの一方で、こうした日本側の法整備も影響したはずだ。沈静化はその双方の結果だったとも考えられる。これは古美術の〝流出〟防止の方の話だが、当代美術の〝輸出〟も、この頃から軽工業の発達で重要性を減じていくから、ジャポニスムの沈静化には、こうした日本側のいくつかの状況が作用したのであろう。

ところで、この古社寺保存会と古社寺保存法は、宮内省ではなく内務省の管轄だった。これは、宗教行政が内務省の担当だったことによる。それが大正二年に文部省に移管されたため、以後は古社寺保存法も文部省が担当していた。

ところが古社寺保存法は、字句の通り社寺の機構を保存するもので、個別の美術品を対象としたものではなかったことから、社寺以外の個人所有の美術品には法の網をかけることができなかった。それに対処するため、ある優品の海外流出を機に作られたのが、昭和四年の国宝保存法である。

これによって社寺、個人の所有を問わず、個別の美術品が法の対象とされることになった。ただ、こうした法律の実行には、手続きにまだ時間がかかった。流出美術品は、市場に出た時にすぐ押さえなければ間にあわない。そのため、続いて起こった優品の海外流出を機に、速効性のある法律として作られたのが、昭和八年の「重要美術品等ノ保存ニ関スル法律」である。

これらの法の成立は、つねに作品流出が起こってからの後手に回っているのだが、同時にこれは日本がいかに作品の海外流出を恐れてきたかを物語ってもいる。それは日本人の内輪意識なのか、あるいは海外流出が単なるモノの流出ではなく国家の歴史の流出、いわば外国による帝国史の所有と感じたからだったのだろうか。

第二次大戦後の昭和二五年、これらの法律は文化財保護法として統括された。これも前年の法隆寺金堂壁画の焼失を機に生まれたものだったが、この法律では美術品など（有形文化財）のほか無形文化財、埋蔵文化財、民俗文化財、史跡名勝天然記念物などがすべて、「文化財」として統括されることになった。ただ美術品の中で、戦前までの法律が御物を除いていた形式をひき継いだため、戦後の文化財保護法でも御物は適用の対象外とされている。明治二〇年代以降の古美術保護が、御物を中核にそれを聖域化した形式が、戦後に持ちこされたのだといえる。

また戦後の古美術保護については、保存科学など自然科学分野との協力が進み、法的保護以上に、物質的保護の技術が格段に進歩したことが注目される。

現在は〝新出〟作品の国宝指定は少なくなっている。このことは、破壊と海外流出防止のために行なってきた国内作品の〝戸籍調査〟と指定が、ほぼ完成したことを示している。近年さかんに行なわれている海外流出した日本美術の調査は、いわば戸籍調査が海外に広げられている状況といえる。ただし海外所在の作品は、もちろん文化財保護法の対象にはならない。

少なくとも国内作品については、明治以来一世紀以上にわたって甚大な努力が続けられてきた戸籍調査と指定が、ついに完成の域に達したのだと考えられる。

美術教育制度の確立

最後に、三の美術教育をめぐる行政について見てみよう。

美術の教育方法をめぐって、江戸から明治に起こった根本的な変化が、画塾（あるいは工房）から美術学校へという変化だった。江戸時代における画塾が基本的に職業プロの養成が前提だったのに対して、近代以降は初等中等の普通教育でも美術が教えられるようになったことで、美術の裾野（すその）も大きく広がることになった。ここでマスプロ教育の手段として、教科書が重要な意味を持ってくる。

美術教育の中心に絵画が据えられた点は、初等中等の美術教育でも高等美術教育でも同じだった。ただ、今でも展覧会に出すのは「絵画」、小学校で教えられるのは「図画」というように、制度とレベルで用語が使い分けられることになった。小学校教育での絵画が「図画」とされたのは、明治一四年の小学校教則綱領においてである。[51]

また当時の教科書には、「用器画」という耳なれないことばがよく出てくる。今でいえば静物画だろうか。初等教育だから簡単な器物なのだが、どこか工芸を中心に振興された殖産興業との関係を感じさせる。

しかし明治期の美術教育をめぐる様々な動きは、初等中等・高等の美術教育を問わず、つきつめていえば西洋式をとるか日本式をとるかをめぐって動いたように見える。高等美術教育（美術学校）の場合、それが日本画か西洋画かという形であらわれ、初等中等教育の場合、鉛筆画か毛筆画かという形であらわれたのだ。

まず高等美術教育について見てみると、この問題は工部美術学校と東京美術学校の対比に端的にあらわれている。欧化政策の一環として明治九年に設置された工部美術学校が、西洋美術専門の学校だったのに対して、国粋主義の中で明治二〇年に設置された東京美術学校は、当初伝統系美術のみで始まったからである。工部美術学校が明治一六年に廃校になったのは、国粋主義のあおりによるものだったし、東京美術学校はその追い風でできたわけだから、両校の内容の逆転は、欧化政策から国粋主義へという政府の政策転換を反映したものだったといえる。

ただ正確にいえば、工部美術学校が設置された工部省は、西洋の鉱山・土木建築技術を移植する中心部署だったから、同校の設置も行政的には殖産興業政策の一環にあった。つまり工学技術研究の一環として西洋美術が行なわれたのであり、美術教育制度上の機関として作られたわけではない（実際に行なわれたのは、まさに西洋美術の高等美術教育だったから、その意味でここで東京美術学校と対比させておくが）。

その点、美術教育行政としての文脈から見れば、明治五年発布の学制で初等中等教育に「画学」が置かれて以降、一〇年代前半までは、初等中等の美術教育（普通教育）しかなかったといえる。しかも欧化政策が進められた時期だから、この間に出された図画教科書は鉛筆画だった。

金子一夫氏によれば、この画学・図画は西洋の素描の教科を導入したものだったが、欧米のそれが工芸・工業のための基礎教育としてあったのに対して、日本では工業がまだ未発達な段階で図画教育の方が先に始められた点、順序が逆だったという[52]。

鉛筆画中心の図画教育に変化の起こったのが、明治一〇年代後半だった。国粋主義の台頭の中で、毛筆画を採用すべきだという声が高まったのである。また工部美術学校が廃止されたことで、新たな官立美術学校（高等美術教育）の設置を求める声も高まった。そうした問題を検討するため、明治一七年文部省に設置されたのが図画調査会（翌年、図画取調掛と改称）だった。

東京美術学校

図画調査会は、その名の通り本来普通教育の「図画」のあり方を検討する会だった。しかしのちに図画取調掛がそのまま東京美術学校になっているから（明治二〇年一〇月）、同校の機構的前身というべき部署でもあった。そしてここで、洋画家小山正太郎と国粋派のフェノロサ、天心が、それぞれ鉛筆画・毛筆画の採用を主張して激しくぶつかった。ここでフェノロサらが勝ったことが、高等美術教育機関としてできた東京美術学校が、伝統美術のみで設置されることにつながっていく。

したがって政府の高等美術教育が始まるのは明治二〇年代からで、その主導権をまず握ったのが国粋派だったことがわかる。二〇年代はこの国粋派の全盛期だった。それは普通教育にも影響し、この時期には毛筆画の図画教科書が多く出版されている。また鉛筆画を主張した小山が、東京美術学校が開校した翌年の二三年、東京師範学校教諭を解任されているのにも驚かされる。同校は、小山みずから図画科（明治一二年、初め画学科）を設置した教員養成学校である。教育方針の選択も、まさに権力闘争としてあったのだった。

しかし明治三一年の東京美術学校騒動で天心らが同校を去ったことで、美術教育をめぐる状況は、高等・初等中等のいずれも再び大きく転換する。以後、日本画・洋画、毛筆画・鉛筆画の併存が定着していくことになるのである。

まず東京美術学校では、西洋画科に明治美術会から浅井忠を新たに迎えて新旧両派のバランスをはかり（ただしベースは新派）、日本画科は一時的に旧派系（日本美術協会）が占めるものの、やがて中間派が教官スタッフを占め、戦前まで官展作家中心の陣容が続く。また初等中等の普通教育でも、明治三〇年代後半以降、毛筆画と鉛筆画の図画教科書が併用されるようになった。小山も東京美術学校騒動の翌年、東京高等師範学校に復帰している。小山と天心は、まさに西洋派と国粋派の両雄並び立たない政治的ライバルであった。

このように、小山が初等中等の図画教育制度の確立に果たした役割は、きわめて大きなものがあった。ただ小山は、高等美術教育の方の制度にかかわることはなかった。それを背負ったのは黒田清輝の方だった。つまり洋画の中でも、基本的に高等教育は新派、初等中等の教育は旧派という図式のあったことがわかる。またのちに中学図画教員を多く輩出する東京美術学校の中でも、絵画科と図画教員コースの間には、意識的な格差があった。

そうして見ると、美術教育制度をめぐる権力構図には、西洋派対国粋派という基本構図に加えて、洋画の新派対旧派、高等教育対初等中等教育という図式が、からまっていたようすがうかがわれる。

さて、ここまでは絵画教育を中心に見てきたが、工芸についても少し触れておこう。先に第二章の「工芸」の所でも触れたように、明治二〇年代、それまで「工業」と混用されていた「工芸」の概念が、「美術工芸」「工芸」「工業」に三分化される。それにともない

「美術工芸」は美術学校、「工芸」は工芸学校、「工業」は工業学校が扱うという機構分担も成立した。

そのうち美術教育の行政が扱ったのは、美術学校の「美術工芸」だったといえる。工業学校は学校だから管轄は文部省だが、内容は「工業」なわけだから殖産興業であり、美術教育の行政下にはない。工芸学校がその中間といえるだろう。第二次大戦後、工芸大学あるいは工芸繊維大学となった大学が、この工芸学校にあたる。

絵画・彫刻が一律「美術」として美術教育の対象となったのに対して、工芸は概念規定の曖昧さから、教育対象としての管轄も曖昧になったといえる。絵画では「図画」も美術教育で扱われたことを考えれば、工芸の不遇はより浮き立って見える。

3 美術団体の誕生

流派から美術団体へ──権力による再編

美術団体という存在は、近代に生まれた新しい作家の組織集団である。日本近代美術史は、美術団体を軸に語られているといっても過言ではないほど、美術の環境として重要な存在といえる。前代でそうした組織を考えるとすれば、流派だろう。

流派は基本的に家制度にもとづいていた。幕藩体制じたいが家制度にもとづく権力体制だったわけだから、幕府御用をつとめた公的な流派ほど〝お家大事〟の傾向は強い。狩野派はその典型だったが、そこでは血の関係が絶対的な意味を持っていた。[53]師家はどこまでも師家であり、弟子は師家に仕える奉公人という私的関係でもあった。円山四条派や南北合派など他の流派では、そうした傾向は狩野派ほど強くはないが、師の名や号の一字を継ぐことは珍しくなかったから、やはりタテの血の関係に擬せられている。一体に日本では、古くからタテの血縁関係を重視する傾向が特に強く、血の関係が社会的にも政治的にも、最も強固な関係と判断されたようすがうかがわれる。[54]

その流派が維新の体制崩壊で存続基盤を失い、解体を経て再編されたのが、美術団体だったわけだ。ここで血縁の家制度にかわって、再編のよりどころ、新たな存続基盤となったのが、新国家の権力体制と政策だった。まず、美術団体と権力基盤の関係について見ておこう。

最初の美術団体は、明治一二年に組織された龍池会である。しかしこの会は当初、作家を含んでいなかった。同会は殖産興業と古美術保護を目的に組織された会で、設立メンバーは翌年大蔵卿（大臣）となる佐野常民をはじめ、大蔵省商務局長の河瀬秀治、内務省博覧会掛の官僚山高信離、半官半民の輸出業者・起立工商会社の松尾儀助・若井兼三郎など、政府の殖産興業の中枢にいた人々だった。美術団体というより、ほぼ完全に政府の殖産興業政策を支える外郭団体だったのである。

この龍池会が作家を積極的に取り込み始めるのは、明治一六年の規則改正後のことである。また政府からひき継いだ観古美術会に、そうした作家の当代美術を併陳し始めるのは、翌一七年からである。

同じ一七年、龍池会の弟分的な東洋絵画会と、日本画新派となるフェノロサの鑑画会も結成されているから、実質的な美術団体の始まりは明治一七年からと見ていいだろう。

この時点で、龍池会と東洋絵画会は農商務省（一四年設置以降、殖産興業を担当）、鑑画会はフェノロサ、天心、狩野芳崖らが図画調査会の委員だったことから文部省に、それぞれ強いパイプを持っていた。

ところが明治一〇年代後半の国粋主義の追い風に乗ったフェノロサ、天心らの動きに対して、龍池会はさらにその追い風の行先を見こして、一六年の規則改正で有栖川宮熾仁親王（ありすがわのみやたるひと）を総裁に迎え、いち早く皇室と宮内省に接近していた。

そして二〇年一〇月、東京美術学校がフェノロサら日本画新派の陣容で文部省下に設置されると、龍池会は二カ月後の一二月、臨時大会を開いて日本美術協会として新発足する。

ここにいたって、日本画新派は文部省、旧派（日本美術協会）は宮内省をバックにするという権力の二重構造が成立する。この二重構造が、基本的に以後、昭和戦前まで続いたのであった。

戦後、宮内省の廃止によって日本美術協会は有名無実化したため、今でこそこの旧派系はあまり知られていないのだが、少なくとも明治期には新派以上の権勢を誇っていた。

こうした新時代の権力構図には、当然洋画界も無関係ではありえなかった。新たな国家体制に対応すべく、明治二二年西洋系美術が大集合した明治美術会（旧派）も、この宮内省をバックにした。一方新派の白馬会（二九年結成）は、東京美術学校を足場にしたわけだから、当然文部省下にあった。

つまり日本画・洋画ともに、新派は文部省、旧派は宮内省を権力のうしろだてとしたのだった。

新時代のイメージを絵画的に具現したという点では新派系の方が優っていたが、組織規模としては、旧派系の方が日本画・洋画ともに画壇の大集合というべき規模の大きさだった。

それからすれば、新時代の国民国家イメージを、絵画的に具現したのが新派で、組織的に体現したのが旧派だったといえるかもしれない。

明治四〇年に文部省主催の文展（ぶんてん）が開催されてからは、新旧両派がともに参加したため、以後美術界も、宮内省というより文部省を中心にまわっていく。しかし今度は、さらにここで審査をめぐる紛糾が続いたことから、大正期に入ると反官展の立場から大小多くの美術団体やグループが生まれることになった。ただこれも、官展の権威をめぐる正反の運動と見れば、官が依然大きな権威を保持していたことでは同じだったといえる。

それに対して、民主化のもとに国家の権威から解き放たれた戦後の美術団体の場合は、解放によって自由とともに不安も抱えこんだように見える。本来美術とは関係ないはずの〝総理大臣賞〟などが戦後に現われるのも、むしろ美術団体の方から国家の権威を求めた一例といえるかもしれない。一体に戦後の美術団体は、権力基盤を失った分、マーケットシステムとの関係を強めた傾向にあり、社会的・市場的評価へのエスカレーターシステムとして機能した感が強い。

美術団体と世代

明治二〇年代に入ると、日本画新派の第一世代だった狩野芳崖や小林永濯(こばやしえいたく)らが相次いで死去する。これに続く第二世代が横山大観たちであるわけだが、両者の間には、年齢的に四〇歳ほどもの開きがある。

なぜその中間世代がすっぽり抜けているのか。漠然と戊辰戦争で画家が多く死んだからかと思っていた時期があったが、そうではなかった。それは生年と維新後の欧化（あるいは文明開化）期との関係にあるらしい。

維新後から明治一〇年代までの期間は、日本画にとって流派の解体から東京美術学校ができるまで、美術教育の場が失われた空白期にあたる。そのため、普通ならちょうどこの頃に画技を学んだはずの年齢の世代が、抜け落ちているということらしいのだ。生年でいうと、一八四〇年代から五〇年代生まれの世代がそれにあたる。逆に西洋美術の工部美術学校（明治九年開校）の生徒には、この世代が多い。

そうした世代状況を、日本画、洋画それぞれの画家の生年から見てみよう。

日本画

鑑画会
狩野芳崖　一八二八―一八八八（明21）
橋本雅邦　一八三五―一九〇八（〃41）
小林永濯　一八四三―一八九〇（〃23）

日本美術協会
野口幽谷　一八二七―一八九八（明31）
滝和亭　一八三〇―一九〇一（〃34）
荒木寛畝　一八三一―一九一五（大4）

京都画壇
鈴木百年　一八二五―一八九一（明24）
岸竹堂　一八二六―一八九七（〃30）

洋画

初期洋画
川上冬崖　一八二七―一八八一（明14）
島霞谷　〃　―一八七〇（〃3）
五姓田芳柳　〃　―一八九二（〃25）
高橋由一　一八二八―一八九四（〃27）

工部美術学校（→明治美術会）

中丸精十郎　一八四〇—一八九五（明28）
床次正精　一八四二—一八九七（〃30）
山本芳翠　一八五〇—一九〇六（〃39）
五姓田義松　一八五五—一九一五（大4）
浅井忠　一八五六—一九〇七（明40）
小山正太郎　一八五七—一九一六（大5）
曽山幸彦　一八五九—一八九二（明25）
松岡寿　一八六二—一九四四（昭19）

白馬会

黒田清輝　一八六六—一九二四（大13）
久米桂一郎　〃　—一九三四（昭9）
藤島武二　一八六七—一九四三（〃18）
岡田三郎助　一八六九—一九三九（〃14）

幸野楳嶺　一八四四—一八九五（明28）
今尾景年　一八四五—一九二四（大13）
鈴木松年　一八四八—一九一八（〃7）

東京美術学校（→日本美術院）

岡倉天心　一八六二—一九一三（大2）
横山大観　一八六八—一九五八（昭33）
下村観山　一八七三—一九三〇（〃5）
菱田春草　一八七四—一九一一（明44）

京都画壇

菊池芳文　一八六二—一九一八（大7）
竹内栖鳳　一八六四—一九四二（昭17）
山元春挙　一八七一—一九三三（〃8）

ここで錦絵や文人画をあげていないのは、文人画は維新後大流行し、錦絵も維新後たて続けに起こった事件をジャーナリスティックに報じて盛んだったため、そうした世代の断絶が特に認められないからである。殖産興業による振興で中心となった工芸も同じである。

まずこれを一覧してみると、高橋由一ら初期洋画の世代と、鑑画会の狩野芳崖、日本美術協会の滝和亭ら新旧日本画の第一世代が、同世代なことがわかる。ほぼ一八二〇～三〇年代の生まれだ。

それに次ぐ一八四〇～五〇年代生まれの世代が、工部美術学校の生徒の世代である。つまり彼らが中心になった明治美術会（明治二二年結成）の世代でもある。この世代が、日本画の方では新旧両派ともにすっぽりと抜けているわけだ。

したがって明治二〇年前後の時点で時代を輪切りにしてみれば、新旧日本画の画家に対して、洋画旧派の画家が、一回りから二回り若いという世代構図になっていたことがわかる。

次いで同じ時期、今度は日本画のみで始まった東京美術学校（明治二二年開校）の絵画科に入学してきたのが、横山大観たちだった。日本画新派の第二世代、のちに日本美術院（三一年結成）の主力になる世代だ。彼らは一八六〇年代から七〇年代の生まれである。洋画旧派からほぼ一回り、新旧日本画の第一世代からは三回り以上若い。

そしてこの世代と同じ世代だったのが、洋画新派となる白馬会（明治二九年結成）の黒田清輝らである。彼らが絵を学んだ時期は、今度は洋画の冬の時代、つまり工部美術学校の廃止から、東京美術学校は日本画だけという国粋主義の全盛期だったわけだから、彼らが学んだのは国外のフランスだったという図式になる。

明治二九年東京美術学校に西洋画科を新設した際、来たのが黒田だったことは、世代論的には都合がよかっただろうと思われる。旧派の洋画家だと、同僚となるべき大観たちより一回りは年上で、校長の天心自身よりも年長になってしまうからだ。

ただ政府の政策をめぐって振子が左右に大きく揺れた東京画壇に比べ、自治性の強かった京都では、顕著な世代の断絶は見られない。京都画壇の幕末から近代への移行が、比較的スムーズにいった一因かもしれない。

東京主導の組織化

以上のような世代状況を図式化すれば、次のようになる。

洋画（東京）	一八二〇〜三〇年代生	一八四〇〜五〇年代生	一八六〇〜七〇年代生
	初期洋画（画学局ほか）	旧派（工部美術学校・明治美術会）	新派（白馬会）

日本画		
（東京）	新旧両派第一世代（鑑画会・日本美術協会）	新派第二世代（日本美術院）
（京都）	如雲社（じょうんしゃ）・京都美術協会	後素（こうそ）協会

日本画、洋画はともに新派と旧派に分かれたわけだが、旧派同士が同世代というわけではなかったことがわかる。世代の欠落という現象は、東京主導で動いた政策動向の一つの結果だったのであり、教育の機会と場がいかに重要かを逆に物語ってもいる。

ただ日本画新派におけるこの世代間の断絶は、ある意味で革新の速度をはやめる結果にもなった。第二世代は前代の美術を全く引きずっておらず、最初から新しい教育システム（東京美術学校）で育った点、新時代をそのまま吸収し体現することになったからである。

世代論の観点からその後の美術団体の動向を見た時、世代の交代や継承に失敗したように見えるのは、日本画ではむしろ日本美術協会の方だった。中心の大家たちが明治三〇年代に入って次々に歿したのち、あれだけの権勢を誇りながら若い世代の取り込みに失敗したからである。

大観や春草らと同じ世代の多くは、三〇年代に数多く結成された中間派の美術団体に参加していった。日本画会（明治三〇年結成）、巽（たつみ）画会（三二年）、美術研精会（三四年）、无（む）

声会（三四年）、烏合会（三四年）といった大小の美術団体がそれである。

日本美術院と日本美術協会を新旧勢力の両極とすれば、日本美術院は人数的にはもともと小組織だったが、日本美術協会は、伝統系美術の一大総合団体だった。にもかかわらず、数も権力も維持しながら、次代を背負う才能を取りこむことができなかったのである。むしろ宮内省をバックにいち早く権威化したため、若手の吸収には消極的だったのかもしれない。結果的に明治三〇年代の日本画は、大勢としては新派でも旧派でもなく、むしろ中間派にある状況となったのだった。

社会的血族――日本美術院

明治三一年、野に下って結成された日本美術院の院歌は有名だ。在野精神をうたい「堂々男子は死んでもよい」とうたうその歌詞は、悲壮感というより血気さかんな意気込みに満ちている。二〇一八年に創立一二〇年を迎えた一世紀以上におよぶ活動が、近代と戦後日本画史の一つの大きな柱であり続けたことは確かだ。またそれを支えた前提条件が、次々に輩出された人材と作品のレベルの高さだったことも、異論の余地がない。

しかし国家の権威をめぐって激しい権力闘争がくり広げられた近代の美術界では、作品レベルだけで美術団体を維持することは不可能だったといっていい。近代の美術は、美術論と権力論の二つのレールの上に成立しているのである。ここに、創作活動の一方で天心、大観らが実行してきた政治戦略の高さがある。しかもそれは決して平坦な道ではなかっただけに、苦闘の跡がにじむ。

まず組織論として日本美術院に特徴的なのが、天心を頂点とする結束力の強さである。他の団体の会員にあたる同人(どうにん)は、大正三年の美術院の再興以来つねに小人数に絞られてきた。今でもそうで、同人は歿すると天心霊社に合祀される。まさに運命共同体である。

こうした結束力はおそらく、日本美術院が最大の危機にあった五浦(いづら)時代(茨城)にできたものだった。

華々しく始まった日本美術院の活動は、大観や春草らが進めた実験絵画・朦朧体への酷評などから、わずか三、四年で経営難に陥った。そのさなかの明治三〇年代なかばから天心、大観、春草、観山ら中心メンバーの外遊が続いたことで、他のメンバーは美術院から離れ、美術院は完全に有名無実化する。本来ならここで美術院が消滅してもおかしくはなかった。

他のメンバーから見れば無責任きわまりない行動を、なぜ天心がとり、大観らにも指示したのか。

国民国家の美術を作る中心にあった天心の場合、そうした美術が日本性と世界性を併せ持つものでなければならないことは、誰より強く認識していたはずだ。朦朧体への逆風が吹く中でなお、天心は国際性に裏づけられた日本画が必要になることを確信していたように見える。

そのため当面の逆風の先を見こして、国内であがいても仕方がない状況の間に、大観らに世界体験を積ませようとしたのではなかったかと思われる。他のメンバーにとってそれは、確かに自分たちの切りすてと映ったかもしれない。ここで天心は、日本美術院の拡大という社会的野望から、まずは少数精鋭の実力路線にいったん方針を変更したのだといえる。

天心のインド

そして世界体験の際、天心が活動の足場をインドとアメリカに置いたことは、近代日本の対外戦略に照らしてみても注目に値する。先に「東洋画」の項でも触れたように、インドは近代日本の新たな対アジア観の中で、日本文化の源流、「東洋」の西限として重要な位置を占めていたからである。またヨーロッパとの関係をはかりつつ自国の近代化を進めようとしていたアメリカは、遅れてやってきた西欧として、日本の近代化の一つのモデルたりうる国だった。

天心がまず明治三四〜三五年、インドに旅行してタゴールら多くの知識人と交流し、三七年からアメリカのボストン美術館に勤務し始めたこと（以後アメリカと日本を半年ずつ往復）、『東洋の理想』（三六年）をインドで書き、『日本の覚醒』（三七年）とともに英文著作として欧米で発表したこと、三七年のセントルイス万博で近代日本をアピールする講演を英語で行ない、喝采をあびたこと、観山を国費でイギリスに留学(三六〜三八年)させる一方、大観・春草をまずインド(三六年)、続いてアメリカ・ヨーロッパ(三七〜三八年)に旅行させたことなど。こうした天心の一連の行動は、対アジア、対西欧の中で日本の将来を位置づけていこうとする、近代日本の世界戦略のビジョンそのものであった。

つまり政治的に野に下り、国内で逆風が吹く中でなお、天心のビジョンは、院歌にうたった在野の一個人のそれではなく、世界と日本の未来を見すえたまさに国家のビジョンだったといえる。あるいは天心自身は、国家レベルというより、国際人としての視点からアジアと日本を考えていたと言われることの方を、望んでいるかもしれない。

明治三九年、ほとんど有名無実化していた日本美術院を辺鄙な五浦にあえて移転したのも、天心からすれば、雑音から遠ざけて、大観らに世界体験の成果をじっくり熟成させようとしたのではなかったかと思われる。速効性を狙うのであれば、東京かその近郊でもよかったはずだ。家族を連れ、背水の陣の心境で転居した大観らの生活を心配する人に、天心が「本当に困った時には米でもやってくれ」と悠然と言い放っているのは、天心のいい加減さを示す逸話とは思えない。その後に必ず来るべき近い将来を予想し、まずは権力闘争の場から離れたひたすらの内的熟成を課したのだろう。ただ、それなしで未来は来ないと考えてはいたかもしれない。

大観らがのちに、当時を社会的・生活的苦境と同時に、制作の理想郷時代として回想しているのは、こうした状況を物語っているのであろう。

運命共同体

しかし実際に五浦に転居した大観らにとって、未来の保障のない生活は、確かに辛いものだったに違いない。五浦に移転したのは、大観、春草、観山、木村武山のわずか四人とその家族だった。生死をともにする運命共同体という意識は、まさにこうした状況の中で生まれたのだと思われる。それは、生死と芸術と社会生命（組織）をともにする運命共同体だった。

しかし日本美術院の本当の危機は、このあとにやってきた。すでに長く画壇の重鎮で彼らすべての後見人だった橋本雅邦が明治四一年に歿し、菱田春草が四四年、そして天心が大正二年に、相次いで歿したのである。残された大観らの絶望感は、想像に難くない。

そして大正三年、大観が文展の審査員をはずされたのを機にあらためて組織したのが、再興日本美術院だった。このとき観山が言った「親のないときの兄弟」ということばは、彼らの運命共同体の質をよく表わしている。ここでいう親とは天心、兄弟とは大観である。つまり血族として意識されているのである。ここから、社会的血族としての日本美術院が始まったと見ていいだろう。

江戸時代までの家制度が直接的な血縁関係だったのに対して、ここでの血族はあくまで社会的な関係である。しかし家制度にかわり、権力によって再編された数ある美術団体の中で、血族に擬せられた日本美術院が最も強い結束力を誇ってきたことは、ある意味できわめて日本的なツボをおさえたあり方だったといえる。

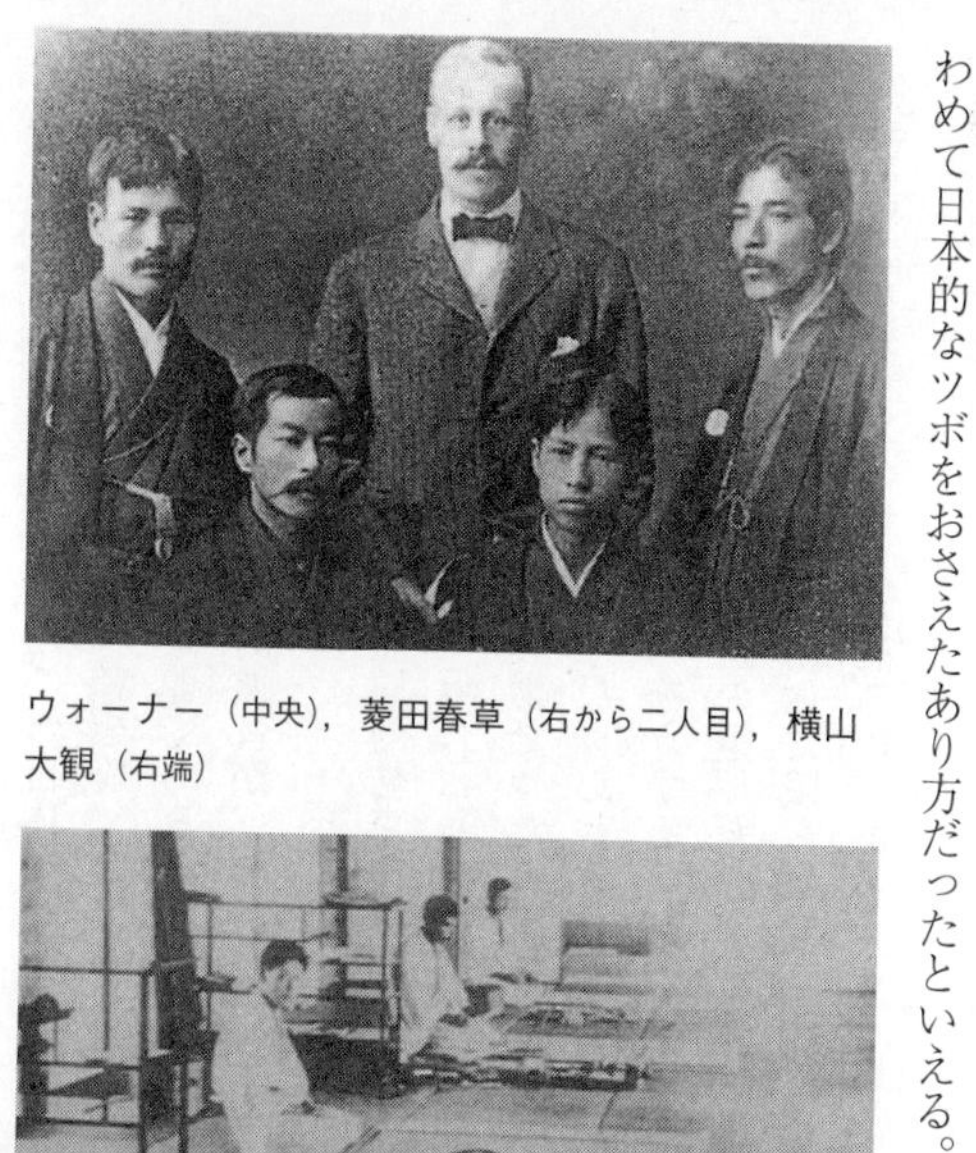

ウォーナー（中央），菱田春草（右から二人目），横山大観（右端）

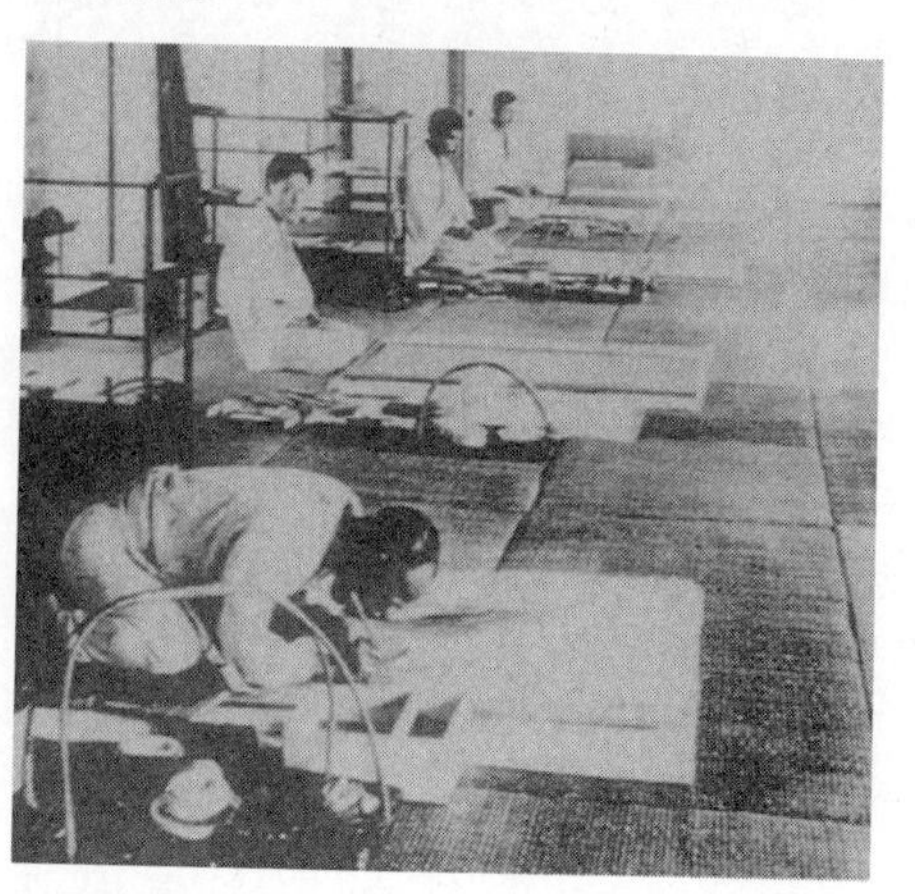

五浦研究所

社会一般で見ても、こうしたこと自体は必ずしも珍しいことではない。会社の関係を親会社・子会社といったり、指導者を親父と愛称したり、一体感や結束を固めるときに家族的雰囲気を強調したりするのはよくあることだ。血の関係を最も強い政治的・社会的な結束力と見なしてきた長い歴史的慣習が、なおその効力を失っていないといえるのかもしれない。

ただ、天心自身がこうした血族的結束を意図していたようすはあまりない。彼自身の国際性もあるのかもしれないが、天心が前代までの血族体制を否定し、〝国民〟を創出する国家事業にかかわった立場の人物だったことからすれば、日本美術院の社会的血族化を図ったのは、むしろ大観たちの方だったと考えるべきだろう。天心を親とすることで、遺志を継ぐ兄弟たちの結束を固め、そうすることで画壇闘争に立ち向かったわけだ。それが意図的な戦略だったのか、無意識の選択だったのかは別としても、実際にそれで強い結束が維持されてきたことは、美術団体に限らない日本の集団組織のあり方から見ても、最強の方法論の一つだったと考えられるのである。

〝在野〟ということ

大正期には、文展の審査をめぐる不満から、いくつかの新しい美術団体が相次いで結成された。再興日本美術院（大正三年）、国画創作協会（七年、現国画会）、二科会（三年）、再興日本美術院の洋画部が独立した春陽会（一一年）などである。

こうした〝反官〟の論理による美術団体の結成は、大正デモクラシーの文脈から〝美術の民主化〟とされることも少なくない。〝美術の制度化〟と〝美術の民主化〟。両者は一見逆のように見えるが、官製「美術」の構築・普及として「美術」や「官」を中心にめぐっている点では、異株同根のものといえる。

反官であれば、在野ということになる。しかし在野という意味の方から見れば、「反官」はその一つの形であって、ほかにも実態としては「脱官」「非官」などがあると考えられる。

「反官」は「官」の完全否定ではない。明治期の自由民権運動がそうだったように、官の権威をめぐる正反の愛憎である。前述の団体から、のちに文化勲章受章者や東京芸術大学教授が数多く出ているのは、その点象徴的だ。ただこれは主に戦後の話である。ともかく創立期は政府に反旗をひるがえして文展をとび出したわけだから、どこかに「官」にかわるよりどころを求めなければならなかった。

ここで彼らが獲得すべき支持層として照準を定めたのが、大衆だった。日本美術院が院展の地方巡回を行なってきたこと、二科会が会員を積極的に増やしてきたことなどは、その典型である。いまでも二科展の作品数は圧倒的だし、歌手やテレビタレントの入選など話題作りもうまい。

こうした会の創立メンバーは、本来官展の次代を背負うはずだった作家たちで、いずれも高いレベルの実力を持っていた。一方大衆は、大正デモクラシーと資本主義の発達が生んだ新興の中間層だった。世代的にも、両者はほぼ同じ世代だったはずだ。新しい美術を求める大衆の志向とその支持を求める新興の美術団体の思惑が、ここで一致したのだと考えられる。

したがってこれらの美術団体は、本質的には在野というより半官半民的な体質を持っていたのだといえる。大衆の支持獲得の成功に加え、戦後、国公立の美術大学の教官ポストを得たことで、官民どちらの支持も獲得した盤石の体制ができあがる。結成後七〇〜八〇年を経てなお隆盛する人気団体たりえているのは、こうした戦略上の成功があったからと考えられる。

「非官」と「脱官」

一方、はじめから「官」と最も遠い所、いわば「非官」の位置にあったのが、前衛美術とプロレタリアアートだった。ただこの場合、大衆の幅広い支持を獲得するのも困難だった。ここで彼らがよりどころとしたのが、「西洋」世界とのより直接的な関係だったといえる。次々に新たな思潮が西洋から移入されたのも、このためだったかもしれない。

プロレタリアアートは、民主主義が選択された戦後、さかんになることはなかった。しかし前衛美術は逆に、国家主義の「日本」を否定し世界性と同時代性をめざした戦後の「現代美術」（前章参照）の中心になっていった。その素地は、前衛美術の「非官」性と「世界（西洋）」性にあったのだと考えられる。ただ、そうしてできた「現代美術」は、戦後も積極的な官や大衆の支持獲得をめざしたわけではなかったから、現代社会を先鋭的に捉えつつも、なお幅広い社会的支持を得てはいない状況にある。このことは逆に、鑑賞基準を支えているのが制度であることを浮き彫りにしてもいる。

「脱官」については、反官というより、既成の美術団体の政治抗争からの脱却、あるいは芸術の自由と独立を訴えて結成された独立美術協会（昭和五年）や新制作派協会（同一一年）、自由美術家協会（同一二年）あたりが近い存在だろうか。

したがって同じ在野でも、実態にはいくつかのバリエーションがあるといえる。しかし「反官」「脱官」「非官」のいずれも、「官」と「日本」を大前提にめぐったことでは共通していた。それが戦前までの美術界の大構図だったのであった。

4　コレクションの社会学

ジャポニスム

コレクションの形成には、権力や経済力、美的価値観、美術市場など、様々な要因が複合的に作用する。

江戸時代までいわゆる美術品を持っていたのは、将軍家や公家、大名、社寺などが中心であり、美術のコレクションは宗教・権力機構と強い関係を持っていた。それが明治維新によって、体制から一時的にせよ価値観までが崩壊したわけだから、近代日本に起こった美術品の移動と再編は、おそらく日本の歴史上もっとも大規模なものだった。[55]

その際市場に大量に流出した美術品は、新たな国内コレクションとしてだけでなく、欧米のジャポニスムコレクションをも形成したため、コレクションの再編には一九世紀後半の国際情勢も深く関与している。

ここでは、そうした国内外のコレクションが、どのような論理で形成されたのかを見ておこう。[56]

現在欧米にある日本美術コレクションの多くは、一九世紀後半に形成されたものである。

一体にそうした欧米のコレクションは、その後大きな変動をともなわずに現在に伝えられたため、当時の日本・欧米それぞれの状況と両者間の関係を、タイムカプセルのように記録保存している傾向が強い。

日本美術品の欧米への移動を引き起こす力となった要因は、次のようなことであった。

欧米側の要因として、まず第一に文化的需要としてのジャポニスム、第二に経済的購買力としての産業革命による富の蓄積、また日本側の要因として、第一に明治維新による社寺・大名などの古美術コレクションの市場放出、第二に殖産興業政策による当代美術工芸品の輸出があった。

各要因についてごく簡単にコメントしておくと、まずジャポニスムは、一九世紀後半に入ってフランスを中心とするヨーロッパとアメリカで始まり、二〇世紀初頭まで続いた。コレクションとしてだけでなく、創作活動でも印象派やアールヌーボー、アメリカのティファニー、あるいは写真や建築などで、幅広い刺激を与えている。需要としての関心は、ほぼ浮世絵と工芸品が中心となっていた。

そうした需要を支えた経済的背景が、産業革命による富の蓄積である。いち早くそれを達成したのが、西欧世界だった。万博が西欧で開催されたこと、殖産興業という産業革命を進めた日本が万博に積極的に参加したのも、このためである。

一方日本側の要因は、先に美術行政の所でも触れたように、政府は古美術品については海外流出の防止につとめ、当代工芸品については積極的な輸出を図った。したがって同じ移動でも、前者は〝流出〟、後者は〝輸出〟されたものといえる。事実、多くの欧米の日本美術コレクションは、この両者で構成されている。玉石混淆の内容が多いのも、大量生産で〝輸出〟された粗悪な当代工芸品が多かったからである。

また美術品の移動に拍車をかけたのが、日本・欧米間の為替レートと、美術品の社会的な相場価格の違いだった。来日した欧米人が、タダ同然で美術品を買いあさることができたのもこのためであり、それを目当てに彼らに美術品を売ったのは、ほかならぬ日本人自身だった。古美術品の〝流出〟防止は、あくまで政府の立場の話と考えた方がいい。

また欧米の日本美術コレクションの中で、大規模かつ良質のものは、実際に来日したお雇い外国人が日本で現地収集したものが多い。主な人物とその収集品が納められた美術館は、次の通りである。

ウィリアム・アンダーソン（英）一八七三年来日　海軍病院医師　大英博物館
エドアルド・キョソーネ（伊）一八七五年来日　大蔵省（銅版印刷）キョソーネ美術館
エルヴィン・フォン・ベルツ（独）一八七六年来日　東京大学医学部　リンデン博物館
エドワード・モース（米）一八七七年来日　東京大学理学部　ボストン美術館、ピーボディ博物館
アーネスト・フェノロサ（米）一八七八年来日　東京大学文学部　ボストン美術館

〔以上お雇い外国人〕

エミール・ギメ（仏）　一八七八年来日　実業家　ギメ美術館
ウィリアム・ビゲロー（米）　一八八二年来日　医師　ボストン美術館
チャールズ・フリア（米）　一八九五年来日　実業家　フリア美術館

多くの日本美術コレクションは、西欧における日本美術イメージの結果だった。しかし同時に、それが博物館などで広く公開されたことで、逆に一般的な日本美術観を形成する媒体・誘因としても作用してきた。

また数あるコレクションの中でも、他ときわだって異なる性格を持っているのが、ビゲロー、モースとともにフェノロサが収集したボストン美術館のコレクションである。フェノロサは、終章で触れるように、ほかならぬ日本美術史学の創始者でもあった。鑑定法を学び、系図を作ってその作家の作品を収集していった彼の収集方法は、通常の趣味や嗜好による収集ではなく、作品で日本美術の歴史体系を構築しようとするものだった。その点日本美術コレクションというより、〝日本美術史〟コレクションというべき性格を持った、稀有の海外コレクションといえる。

資本主義経済とコレクション

西欧、日本ともに、近代に新しく出現したコレクターに、実業家がある。この実業家という存在は、産業革命を通じて資本主義経済が生んだ新たな富裕階層だった。当然その業種は、産業革命や資本主義の発達にともなう基幹産業に集中している。西欧の新たなコレクターに、動力革命にまつわる石炭、輸送の鉄道、機械工業の繊維、少し下って鉄鋼などの関係者が多いのも、このためである。

日本でも基本的な状況はそれに近い。ただ違っていたのは、短期間で産業経済を育成するため政府が手厚い保護と特権を与えたことから、財閥が形成されたことだった。

政府の殖産興業政策は、担当省の機構成立を指標に、工部省段階（明治三年〜）、内務省段階（同六年〜）、農商務省段階（同一四年〜）の三段階に分けられるという[57]。西洋の技術・システムの直移植を試みた工部省段階が、在来産業とのかみ合わせがうまくいかずに失敗したことから、内政優先の拠点として大久保利通が設置した内務省の段階では、民活方式へと転換が図られた。農商務省段階でもそれが継承される。

そうした中で、政府の保護と特権を得て明治一〇年代後半から形成され始めたのが、財閥である。三井、住友、三菱などがその代表格で、彼らは流出が続いていた古美術を中心に収集していく。財閥コレクションの特徴は、何といってもその資金力の豊富さから、質量の点で大規模かつ優品を数多く含むことである。そうしたコレクションがのちに美術館として開館したのが、静嘉堂（三菱〔岩崎〕）昭和一五年、現静嘉堂文庫美術館）、泉屋博古館（住友、昭和三五年）、大倉集古館（大倉、大正六年）、藤田美術館（藤田、昭和二九年）などである。

財閥に次いで現われた実業家コレクターが、日清戦争後急速に発展した繊維工業の関係者だった。原三渓（三渓園、明治三九年）、藤井善助（東洋紡、藤井有鄰館、大正一五年）、大原孫三郎・総一郎（倉敷紡績、大原美術館、昭和五年）などがその代表格で、繊維は第二次大戦前まで輸出の花形産業だった。

また物流にかかわる鉄道関係者にもコレクターが多い。根津嘉一郎（東武、根津美術館、昭和三〇年）、小林逸翁（阪急、逸翁美術館、同三二年）、五島慶太（東急、五島美術館、同三五年）、堤康次郎（西武、高輪美術館、同三七年）らで、大和文華館（同三五年）も近鉄の美術館である。

大正期になると、金融資本の確立にともない銀行・証券関係者のコレクターが現われてくる。黒川幸七（黒川証券、黒川古文化研究所、昭和二六年）、野村徳七（野村証券、野村美術館、同五八年）、遠山元一（日興証券、遠山美術館、同四五年）、山崎種二（山種証券、山種美術館、同四一年）、山口吉郎兵衛（大阪・山口銀行、滴翠美術館、同三九年）、頴川徳助（幸福相互銀行、頴川美術館、同四八年）などである。

また大正期には、資本主義が生んだ新中間層として大衆が出現したことから、娯楽にまつわる業種のコレクターが現われたことも注目される。映画の正木孝之（映画館、正木美術館、昭和四三年）、出版の野間清治（講談社、野間奉公会、同一四年）などである。

このほか、石油、電力などエネルギー関係の業種にもコレクターが生まれている。石油の出光佐三（出光美術館、昭和四一年）、電力の松永安左エ門（松永記念館、昭和三四年）などである。

このように実業家コレクターの出現は、資本主義経済の展開をみごとに映し出している。

古美術中心

ただ収集された美術品、あるいは市場価値の高かった美術品の内容でいうと、戦前までは古美術品に圧倒的な比重があった。益田孝、根津嘉一郎、小林逸翁、原三渓、畠山一清、松永安左エ門らのように、コレクターに茶人が多かったことも、その一例である。名品をめぐってくり広げられた争奪戦が、数々の逸話として残っている。

もちろん大原孫三郎や山崎種二、野間清治らのように、近代美術を収集した人たちもいたのだが、一体に近代の日本美術が市場価値を持ち始めるのは、古美術の名品がほぼ納まる所に納まった昭和初期ごろからのことである。ただこの時点では、まだそれは日本画だけだった。

洋画を含む近代日本美術と西洋美術が幅広い市場価値を持つようになるのは、戦後のことである。その理由は、一つには古美術の出物が少なくなったこと、二つには戦後、美術館やマスメディア主導で近代日本美術史が形成され、近代の作家や作品の価値づけと社会周知が進んだことだった。銀座の画廊街も、このような戦後の状況の中で発展した美術の街である。京都の古美術店に比べ、銀座の画廊のショーウィンドーや店内が、軸装より額装の美術品向きに作られているのもそのためなのだろう。

また戦前に収集された前述のようなプライベート・コレクションが、戦後美術館として開館したのは、主に税金対策から財団法人化されたことによる。しかしそのコレクションの形成は戦前だったことから、私立美術館のコレクションは古美術を中心にした所が多いという、現在的な状況が生まれることになった。これは公立の美術館の多くが、戦後の設立と収集になる分、近代美術と西洋美術を中心にしているのと対照的である。この状況は、私たち美術史研究の分野で学芸員として就職する際にも、研究分野と就職先の関係にかなり影響している。

美術行政との関係

実業家のコレクションが経済動向を端的に反映したとすれば、政治や行政の動向を反映したのが国公立の美術館・博物館のコレクションである。

しかし戦前までは、美術館・博物館じたいがほとんどなかった。東京、京都、奈良の各帝室博物館のほか、公立の美術館・博物館としてあったのは東京府美術館（大正一五年）、京都市美術館（昭和六年）、大阪市立美術館（同一一年）くらいである。

つまり国公立の美術コレクションじたい数が少なかったわけだが、逆にいえばそこに集中していたわけだから、とくに国立は規模は大きい。

戦前までの国の博物館は、美術行政のところで触れたように、国家政策と深く関係していた。初め殖産興業、のち古美術保護である。そのため、その後身である現在の国立博物館のコレクションも、殖産興業・古美術保護がらみの作品を数多く伝えている。担当省でいえば、内務省・農商務省、宮内省関係の作品である（ただし古美術保護は、のち文部省所轄となる）。

一方、美術教育の拠点だった東京美術学校は、卒業制作品と教育資料としての古美術品を収集・蓄積してきた。管轄は文部省である。つまり文部省の美術教育行政の関係コレクションは、東京美術学校が所有し、共時的に生産もしてきたことになる。現在、東京芸術大学芸術資料館の管理になるコレクションがそれである。

国立機関ではないが、京都府画学校以来の同様の作品を蓄積してきた現京都市立芸術大学のコレクションも、明治以来の美術教育関係のコレクションといえる。

また殖産興業の支援、伝統美術保護の立場から、日本美術協会、明治美術会、内国勧業博覧会などから作品を積極的に買い上げたコレクションが、旧宮内省所有のコレクションだった。現在宮内庁の管理になる作品である。これまでその内容はほとんど知られなかったが、平成五年一一月に開館した宮内庁三の丸尚蔵館の各種展覧会によって、明らかになるところとなった。

つまり行政とコレクション、それを管理する機構には、明確な関係のあることがわかる。旧宮内省コレクションは宮内庁三の丸尚蔵館、文部省コレクションは東京芸術大学、内務・農商務・宮内・文部各省の混合コレクションが国立博物館ということになるわけだ。

しかし戦後は、古美術保護も美術教育も文部省に一括されるから、戦後に収集されたコレクションはすべて文部省の管轄ということになる（国立近代美術館など）。

またコレクションにまつわる戦後の大きな動きとして注目されるのが、県や市などの公立美術館が続々と設立されたことである。こうした美術館は社会教育機関として設立され、作品は思想性を排した情操的な美の遺産として扱われている。皇国の歴史遺産から普遍的な美の遺産として、また国家の遺産から民主主義の国民の遺産として、美術が規定し直されたわけだ。

公立美術館の数や予算規模からいっても、戦後は美術館が最大のコレクターとして出現したといえる。それが税金によって議会の承認を経て購入されることからすれば、間接的ながら市民がコレクターになったともいえる。

戦後、高度経済成長を経て日本が経済大国になったことを考えれば、企業や事業家にもかなり規模の大きいコレクションが形成されていることが予想されるが、その実態はまだ明らかになっていない。

またこうした戦後の公立美術館のコレクションは、先に触れたような理由から、近代日本美術と西洋美術(とくに一九世紀美術)が中心になっている。しかも、戦後形成された近代日本美術史が文部省系の美術を中心とした関係から、こうしたコレクションの近代美術も、文部省系のものが中心になっている。具体的には、官展(文展、帝展、新文展)、美術学校、新派系の日本画・洋画(日本美術院、白馬会)などの美術である。

そこからすっぽりと落ちていた旧派系の絵画(宮内庁三の丸尚蔵館、国立博物館)や輸出工芸品が注目されるようになったのは、ごく最近のことである。[58] 近代美術の総合的な再検討と、〝歴史化〟のしくみの検討も、まだ始まったばかりのところにある。

終章──「日本美術史」の創出

分立する日本美術観

　さてここまで、美術用語の生成と美術をとりまく環境について述べてきた。そうした問題すべてが、実は「日本美術史」という歴史認識の体系の構築に深く関係している。というのも、「日本美術史」という存在が、

一、一九世紀の国際情勢の中で生まれた、

二、近代日本の国家思想による歴史の再編であり、

三、作品というモノのヴィジュアルイメージによりながら、

四、その実、ことばによって記された言説の体系

だからである。

「日本」がゆらぎ、「美術」もゆらぎ、「歴史」認識もゆらいでいる現在、未来を考えるために、現在がある理由と必然を確認しておくことは是非とも必要だ。価値判断より何より、

まずは事実とその意味の確認だ。「日本美術史」論もその研究も、不変でない以上これから先さらに変わるだろうが、今確認できることは、現時点の視点と限定したうえでやはり確認しておくべきだろう。それが、〝現在〟の歴史的な意味でもあるはずだ。「日本美術史」の具体的な検証には、いくつもの課題が考えられるのだが、ここでは「日本美術史」をめぐる国内外の基本的な状況を概観しておくことにしたい。

二つの日本美術観――西欧と日本

私たちが考えている「日本美術史」が、意図的に〝創られた一つのイメージ体系〟であることを、あまりにアッケラカンと示してくれるもう一つの日本美術イメージがすでにある。日本がめざした当の西洋における日本美術イメージである。それは、一九世紀のジャポニスムの中で形成されたものが、基本的にほぼそのまま現在に続いている。

欧米の日本美術コレクションを調査したことのある人なら誰でも知っていることだが、ほとんどのコレクションでは、浮世絵と工芸品が圧倒的な数量を占めている。そうしたコレクションの里帰り展で、それを感じた方も多いだろう。

先に美術行政の殖産興業のところでも触れたように、欧米の嗜好は明治政府も十分に知っていた。だからその需要に対して、殖産興業による工芸品の振興と輸出を図ったのだった。つまりジャポニスムに対しては、産業政策で対応したのである。担当省は農商務省である。

一方、日本では古美術保護によって古美術の海外流出を防ぎつつ、古美術品を中心に日本美術史が編纂された。初の官製日本美術史『稿本日本帝国美術略史』（明治三三年）を編纂したのは、宮内省である（刊行は農商務省）。つまり欧米の日本美術観は農商務省の産業政策が助長し、日本の日本美術史は近代天皇制による歴史観にもとづいて宮内省が編纂するという、完全な政策上の使い分けが行なわれたのだった。欧米・日本それぞれの日本美術観の違いは、助長されこそすれ、ギャップを埋める努力はなされなかったのである。ギャップは起こるべくして起こったといえる。

しかもこの『稿本日本帝国美術略史』は、そもそも国内的な必要というより、一九〇〇年のパリ万博出品のために構成されたものだった。一等国たるべき国家イメージ戦略として、初めから外向きに描かれた〝自画像〟だったのである。[59]それは、二〇世紀に向けた東洋の盟主としての日本の宣言でもあったから、内容も天皇ゆかりの美術を中心に、歴代の支配階級の美術で構成されている。これに続く官製日本美術史として明治四三年の日英博覧会に出品された『特別保護建造物及国宝帖』も、基本的に同じ性格と内容のものである。

つまり官製の日本美術史は、西欧向けに歴代支配階級の美術で構成されたわけだ。ところが当の西欧で日本美術イメージの中核をなした浮世絵と工芸品は、美術と階級の問題でいえば、むしろ庶民階級の美術だった（第四章「美術と階層」参照）。日本における日本美術史が、支配階級の美術で構築されたのに対して、西欧の日本美術観は、庶民階級の美術で形成されたのである。ここにも重大なギャップが生じることになった。

外国美術の移植を図り、それを制度として定着させてきた日本の場合、国内的には一体に、移植した美術の価値観が、制度側の価値基準として機能してきた傾向が強い。江戸時代までの中国美術、近代以降の西洋美術がそれにあたる。

しかし外から見た場合は逆に、そうした美術は中国系、西洋系の美術に見えるため、他の国にないものが〝日本的〟と解される傾向が強い。これはこれで、ごくわかりやすい論理だ。欧米の日本美術イメージも、まさにこのパターンといえる。

ところがこの論理によれば、西洋美術を志向しあるいは吸収した近代の日本美術も、あまり評価されないことになる。しかも困ったことに、事実そうなのだ。外交レベルの文化交流展の場合などは、外交辞令や主催者側の称賛の自己演出が行なわれるから、一見高い評価を得て成功したように見えるのだが、よくよく向こう側のフランクな意見を聞き出してみると、このパターンが多い。

数年前、ボストン美術館のアン・モースさんが、同館が多く持っている狩野芳崖・橋本雅邦らの鑑画会の作品で、小企画展を行なったことがあった。光を描いた水墨画とか、いずれも洋風の強い日本画だ。彼女によれば、面白いといって興味を持つ人が多かったという。意外だったが、「ひょっとして、面白いけど好きか嫌いか聞いたら、四分の三くらいの人は嫌いだっていってなかった?」ときくと、笑いながら実はそうだという。彼女もはじめからそれは知っていて展示したのだった。

一方、狩野派の画家ながら幕末から明治に浮世絵師として活動した河鍋暁斎は、一九九三年に大英博物館で個展が行なわれるほどの人気で、展覧会も大盛況だった。実に対照的な光景だった。この暁斎や渡辺省亭(図34)、柴田是真らは、近代の日本画家の中で欧米

図34 渡辺省亭 雪中群鶏図(東京国立博物館蔵)

で高い人気を得ている画家で、欧米・日本それぞれの日本美術イメージのギャップをさぐる際には、ポイントになる画家である。

こうしたギャップの検討は、これからなお必要だ。ただその際、そうしたギャップのどちらが正しいかといった安易な価値判断は、極力避けるべきだろう。双方にとってはそれが、それぞれの必然だったのだ。

「日本美術史」の構築

先にフェノロサのコレクションは、〝日本美術史〟コレクションというべき体系を持ったものであることに触れた。確かにフェノロサは、自分が「日本美術史」創成の泰斗となることに、強い意欲を持っていた。

そして明治二二年に開校した東京美術学校では、当初から「美学及美術史」のカリキュラムが組まれ、フェノロサがこれを担当した。ここで彼が日本美術史も講義したかどうかは定かでないが、おそらくしただろう。翌年フェノロサが帰国してからは、天心が「日本美術史」と「泰西美術史」を講義している。画史画伝といった伝承から、実証に支えられた日本美術史の構築がここに始まる。

以後、「日本美術史」の構築には、大きく四つのルートがあったように見える。第一に官製の「日本美術史」、第二に美術研究誌『国華』、第三に『真美大観』から『美術聚英』

『東洋美術大観』にいたる審美書院の一連の全集類、第四にその他の個人著作の「日本美術史」である。順に見てみよう。

まず第一の官製「日本美術史」は、前述の『稿本日本帝国美術略史』（明治三三年）と『特別保護建造物及国宝帖』（同四三年）が中心となる。前者はパリ万博出品のため、博覧会事務局の依頼で帝国博物館が編纂したもので、内容的には臨時全国宝物取調局（明治二一年）の成果に多くを負っている。中心人物は帝国博物館総長九鬼隆一と、美術部長岡倉天心（東京美術学校校長と兼務）である（のち福地復一）。後者は日英博覧会出品のため内務省がまとめたもので、内容的には建築が中心であるだけに古社寺保存会（三〇年、内務省）の調査成果に多くを負っている。中心人物は伊東忠太、関野貞、天心らである。

第二の「国華」は、天心と高橋健三が朝日新聞社の支援で、明治二二年一〇月に創刊した美術研究誌である。現在にいたるまで一〇〇年以上にわたって刊行が続き、今では最も権威ある研究誌となっている。

第三の審美書院の刊行物は、まず『真美大観』が明治三二年五月から四一年五月まで二〇冊、次いで『美術聚英』が同四三年一〇月から大正三年一〇月まで二五冊、並行して『東洋美術大観』が明治四一年八月から大正七年七月まで一五冊という、膨大な全集が刊行された。

第四の個人の日本美術史は、横井時冬『日本絵画史』（明治三四年）、藤岡作太郎『近世

絵画史』(同三六年)などが、まとまったものとしては比較的早いものである。この類の本は大正期以降に増えるが、それには第一〜三のような刊行物によって研究資料が整ってくる状況が、背景にあると思われる。

これらのうち明治期において重要な意味を持ったのは、第一〜三である。とくにまだ「日本美術史」という存在じたいがなかったわけだから、個別の作品研究より何より、まずは体系を構築することが先決だった。したがって第一の官製日本美術史と第三の全集類の編纂が、実質的な体系「日本美術史」となったものである。

第二の「国華」でも黒川真頼(くろかわまより)「日本絵画沿革説」の連載などを行なっている。しかし当初は、専門研究誌というよりジャーナリスティックな性格も強かったことや、月刊誌という形式などから、「国華」の場合、体系構築より作家・作品論など個別研究に比重が置かれた傾向が強い。

美術史研究の人材もまだ数は少なく、その大部分が体系構築の作業に参画したわけだから、大局的には個別の作家・作品研究は、体系構築後、後発的に始まったと考えていいだろう。各ジャンルの研究史を概観してみると、その傾向はよりはっきりする。

また一は官製だから政府の編纂・発行なのに対して、三は民間からの出版である。ところがそこでは宮内大臣が序を書いたり、古社寺保存会委員など多くの政府関係者が作品選定などでかかわるなど、ほとんど民間で出版された政府刊行物という様相を呈している。

写真原版なども、博物館からかなり借りているのではないかと思われる。

ところが一の中心メンバーで三にかかわっていない人物が一人いる。天心である。天心は東京美術学校騒動のとき、東京美術学校校長と帝国博物館美術部長は辞職したが、古社寺保存会委員は続けていた。にもかかわらず、三には名前が見えないのである。

一方、三で編纂事業の中心となっていたのが、大村西崖である。西崖は東京美術学校騒動の時も、天心らとは行動を別にしている。審美書院には明治三九年から編集主任としてかかわっており、『東洋美術大観』はまさに西崖の美術史研究の具現だった。

つまり同じ体系でも、一は天心、三は大村西崖が中心になっているのである。しかも一のうち『稿本日本帝国美術略史』は、天心辞職後、東京美術学校騒動の仕掛人ともされる福地復一が中心になっているから、天心は完成まではかかわっていなかった。その点天心は、「日本美術史」の体系構築に深く関与しその大枠まで決めながら、実際の完成には立ち会っていなかったことがわかる。その意味でも今後、大村西崖の果たした役割について、十分な検討が必要になると思われる。

大村西崖

こうしてでき上がった「日本美術史」の体系は、根本的な変化をともなうことなく現在まで続いている。戦後も、研究方法には大きな変化があったが、史的体系じたいにはほとんど影響していない。

古美術保護がつくった美術史研究

「日本美術史」という歴史体系をことばで構築してきた当事者が、美術史研究という作業である。[60]

先述のように、明治二二年東京美術学校で「美学及美術史」の授業が始まり、西洋美術史・日本美術史の講義が行なわれた。同じ年、東京大学でもそれまでの「審美学」の授業が「審美学美術史」となり、さらに二年後「美学美術史」と改称されている。これをもって一応、日本における美術史学の制度的な成立と見なすことができるだろう。東京大学では当初、ドイツ人のブッセ、ケーベルらが西洋の美学美術史を教えており、日本東洋美術史は講義されていない。

しかし官製「日本美術史」の編纂に実際に中心的にかかわったのは、学校よりもこれまで見てきた帝国博物館（宮内省）の方だった。しかもそこでの美術史研究は、古美術保護と強い関係を持っていた。ここではとくに、美術史研究と古美術保護が、「日本美術史」の構築をめぐってどのような関係にあったのかについて、問題をしぼって見ておこう。

まず第一には、古美術保護のための宝物調査が、同時に美術史研究のための基礎調査となったことから、実際の作業はほとんど両方いっしょに行なわれたことである。事実、明治以来日本美術史研究者の多くが、古美術保護行政にかかわってきた。またそうしなければ、数々の名品に直接触れることはできなかったのである。

第二に、古美術保護が、調査だけでなくその指定によって、国家による美術品の価値づけ・権威づけとして機能したことである。臨時全国宝物取調局以来の指定作業が、現在も文化財保護として続けられている作業である。

第三に、古美術保護との関係が、美術史研究自体の存立と権威づけもバックアップしたことである。美術史研究が指定のための資料提供と価値判断の役割を担うことで、美術史研究自体も国家の権威を背後に獲得したのである。両者は相互補完的に機能してきたのであった。両者の中枢にあった天心が創刊した「国華」が権威ある研究誌となったのも、このことと無関係ではない。

第四に、そうした指定作業との関係が、研究上の方法論にも影響していることである。研究誌が常に図版紹介に力を入れてきたことや、日本・東洋美術の研究が作品論中心、データ重視の傾向が強いのも、指定のための資料提供という役割と無縁ではないだろう。

第五に、古美術保護行政との関係の有無が、日本での日本東洋美術史と、西洋美術史・近代日本美術史の研究を隔てる一因となったことである。近代美術や西洋美術は、指定保護の対象とはされなかったからである。近代日本美術が指定の対象になったのは、戦後の文化財保護法下でのことだ。ただ現在でも、東京国立博物館などは文化庁の文化財保護部、国立の近代美術館と西洋美術館は文化部の管理下にあり、前者は守るべきもの、後者は振興すべきものという行政的位置づけにある。制度的分立はなお残っているということだろう。

しかし戦後、国家主義が排され民主主義国家として再出発する中で、美術史研究をとりまく状況も大きく変わった。古美術保護も、日本・東洋・西洋の美術史研究もすべて文部省下に一本化され、美術品も皇国の遺産から美の遺産として規定しなおされている。また赤外線やX線の使用など自然科学分野との提携によって、基礎研究が大きく前進したのも、戦後の大きな変化である。美術史研究じたいが、イデオロギーを排し、科学になろうとしてきたのであった。

ただイデオロギーが排されたのちも、新たな歴史観による歴史の再編が行なわれたわけではなかったから、「日本美術史」の体系じたいはそのまま戦後に持ちこされた。そのため科学的調査による基礎調査の進展も、結果的にはその体系をなお補強してきた感が強い。

その意味で、「日本美術史」の体系を支えてきた「日本」「美術」「歴史」という概念と認識がいずれもゆらぎ始めた今、どのような歴史観が生まれてくるのか（あるいはこないのか）は、大いに注目される。それはとりもなおさず、未来への重要な指針になるだろう。

「近代日本美術史」の形成

これまでいく度か触れてきたように、「近代日本美術史」が形成されたのは、基本的に戦後である。それ以前に近代美術を扱ったのは、歴史研究より美術批評だった。

歴史化の動きがなかったわけではない。黒田清輝の遺産で作られた美術研究所（昭和五年、現東京文化財研究所・文化財情報資料部）が、日本・東洋・西洋美術の基礎資料とともに明治以降の美術の基礎資料を収集したことは、おそらく近代美術の歴史研究としては最初のものだった。

それが戦後、近代美術館の建設、近代美術初の重文指定（昭和三〇年）などによって、近代の過去化と歴史化が進められたのだった。

ただ、戦後に近代美術の歴史化が行なわれたということは、国家主義を軸に成立した近代の美術を、民主主義の文脈で読むことでもあった。つまり美術の制作の論理と歴史化の論理が、一八〇度近く違ったことになる。日本美術協会、明治美術会など宮内省系の美術が削除され、あらためて民主主義を教育普及する文部省の美術を中心に歴史化が図られたのも、こうした状況の反映といえる。

しかも一方に偏向したその採択が、社会教育としての美術館、新聞・テレビ・雑誌などのメディアによって一気に広められ、アッという間にできあがったのが近代日本美術史である。

その点、メディアや展覧会の華やかさはないが、基礎資料から発掘しなおそうとした明治美術研究学会（昭和五九年設立、現明治美術学会）の意義は大きかったように見える。

おそらく総合的な近代美術史の再検討は、今後も進むことになるだろう。しかし国内論理の検討のほかに、国際評価との大きなギャップをどうするかという難問がひかえている。近代日本美術史だけでなく日本美術史の再検討も、研究の国際交流と国際的な地理・歴史地図の上で行なうことが求められるだろう。

註

1 高木博志「近代天皇制の文化的統合——立憲国家形成期の文化財保護行政」『近代天皇制国家の社会統合』文理閣 平成三年五月
2 西川長夫「序 日本型国民国家の形成——比較史的観点から」西川長夫・松宮秀治編『幕末・明治期の国民国家形成と文化変容』新曜社 平成七年三月
3 尾藤正英「時代区分」項『国史大辞典』第六巻 八三二頁 吉川弘文館 昭和六〇年
4 北澤憲昭『眼の神殿』美術出版社 平成元年
5 山崎剛『工芸家たちの明治維新』展図録 大阪市立博物館 平成四年三月
6 木下直之『美術という見世物』平凡社 平成五年六月
7 『工芸叢談 第一巻』龍池会 明治一三年六月（『近代美術雑誌叢書 七 美術圏 別冊』ゆまに書房 平成三年一〇月
8 東京芸術大学での平成六年度の日本美術史演習（近代）、伊東哲夫氏発表「Art の訳語としての「藝術」と「美術」」（六月六日）による。
9 阿辻哲次『漢字の字源』講談社現代新書 一四七頁 講談社 平成六年三月
10 註4『眼の神殿』一五一頁
11 『明治のことば辞典』（物郷正明・飛田良文編、東京堂出版、昭和六一年）「文学」「文芸」項

12 拙稿「絵画と言語（一）『画』と漢字」美術研究　三五三　東京国立文化財研究所　平成四年三月

13 中村伝三郎『明治の彫塑』三三頁　文彩社　平成三年三月

14 原田佳子「生活文化論考Ⅲ　美術と工芸」広島女学院大学論集　通巻四〇集　平成二年一二月

15 『東京国立博物館百年史』二五二頁　東京国立博物館　昭和四八年三月

16 鈴木健二「工芸」『原色現代日本の美術』第一四巻　小学館　昭和五五年

17 浦崎永錫『日本近代美術発達史（明治篇）』一六七頁　東京美術　昭和四九年七月

18 樋口秀雄「帝室技芸員制度——帝室技芸員の設置とその選衡経過」ミューゼアム　二〇二　昭和四三年一月

19 『工芸』一～三　東京テキスタイル研究所　平成七年六月・九月・一二月

20 拙稿「人にまつわるジャンルの形成」平成五・六年度科学研究費補助金（一般研究A）研究成果報告書『東アジア美術における人のかたち』東京国立文化財研究所

21 外山正一「日本絵画の未来」『明治美術会第五回報告』（六月一一日）。ほかにも「東京朝日新聞」連載（四月三〇日～五月一六日）、「明治二三年五月一五日発行、非売品」の奥付を持つ私家版小冊子としても刊行された。（『美術』近代日本思想大系　岩波書店　平成元年六月に収録）

22 森鷗外「外山正一氏の画論を駁す」『しがらみ草紙』八号　明治二三年五月二五日
同「美術論場の争闘はまだ其勝敗を決せざる乎」「東京新報」明治二三年六月五日

同「外山正一氏の画論を再評して諸家の駁説に旁及す」『しがらみ草紙』九号　明治二三年六月二五日

23 以上三つの論文は、いずれも『鷗外全集　第一巻』（大正一二年二月）に収録。

24 註22論文「美術論場の争闘はまだ其勝敗を決せざる乎」

25 註22論文「美術論場の争闘はまだ其勝敗を決せざる乎」

北澤憲昭「『日本画』概念の形成にかんする試論」『明治日本画史料』　中央公論美術出版　平成三年四月

26 註25論文、および「西洋との対比で生まれた『日本画』『絵画』」（学問を歩く、揺らぐ「日本的な美術」上、田中三蔵編集）、朝日新聞　平成七年九月一日夕刊。

27 明治二〇年一一月、一年間の欧米美術視察の報告として鑑画会で講演したもの（『美術』日本近代思想大系　一七　八五〜九一頁　岩波書店　平成元年六月）

28 『美術』日本近代思想大系　一七　二二頁　岩波書店

29 「教育報知」明治二二年一月一二日、註28掲書　一一一頁

30 ベネディクト・アンダーソン『想像の共同体』リブロポート　昭和六二年一二月

31 黒田清輝「将来の美術界に対する希望」『太陽』一二―九　明治三九年六月

32 菱田春草「画界漫言」『絵画叢誌』二七五　明治四三年三月

33 北澤憲昭「歴史・絵画年表」『描かれた歴史』展図録　兵庫県立近代美術館　平成五年

34 高木博志「初詣の成立——国民国家形成と神道儀礼の創出」『幕末・明治期の国民国家形成と文化変容』新曜社　平成七年三月

同「帝の『伝統』を視覚化する〈京都〉〈奈良〉聖地化計画」『別冊宝島 帝都東京』宝島社 平成七年四月

35 吉川幸次郎「歴史文学」項 『世界大百科事典 二三』平凡社 昭和四二年

36 木下直之「ソウルに残る和田三造の壁画」 ピロティ（兵庫県立近代美術館ニュース） 六三 昭和六二年三月二五日

37 林洋子「東京大学・安田講堂内壁画について」 東京大学史紀要 九 平成三年三月

38 木下直之『描かれた歴史』展図録 兵庫県立近代美術館 平成五年九月

39 木下直之「脱亜の図像学」『月刊百科』 三七六 平成六年二月

40 河田明久「十五年戦争と『大構図』の成立」 美術史研究 三二 早稲田大学美術史学会 平成六年一二月

41 北澤憲昭「『文明開化』のなかの裸体」『〈人のかたち〉〈人のからだ〉』 平凡社 平成六年三月

42 松本誠一「美術用語としての『風景画』」 佐賀県立博物館・美術館報九二 平成三年三月
同「風景画の成立――日本近代洋画の場合」 美学 一七八 美学会 平成六年九月
青木茂『自然をうつす』 岩波近代日本の美術 八 岩波書店 平成八年九月

43 註42に同じ

44 新藤武弘『山水画とは何か――中国の自然と芸術』 福武書店 平成元年

45 柳宗玄「自然景―東と西」『東西の風景画』展図録 静岡県立美術館 昭和六一年

46 註34掲論文 高木博志「帝の『伝統』を視覚化する〈京都〉〈奈良〉聖地化計画」

47 拙稿「『美術』と階層――近世の階層制と『美術』の形成」ミューゼアム 五四五 東京国立博物館 平成八年一二月

48 山口昌男『「敗者」の精神史』岩波書店 平成八年、および註47論文
田中穣『日本洋画の人脈』新潮社 昭和四七年
吉田千鶴子「東京美術学校と白馬会」近代画説 五 明治美術学会 平成八年
児島薫「白馬会成立の意味についての一試論」近代画説 五 明治美術学会 平成八年

49 拙稿「明治美術と美術行政」美術研究 三五〇 東京国立文化財研究所 平成三年三月

50 註1に同じ

51 浦崎永錫『日本近代美術発達史（明治篇）』一七九頁 東京美術 昭和四九年七月

52 金子一夫『近代日本美術教育の研究――明治時代』三頁 中央公論美術出版 平成四年二月

53 松木寛『御用絵師 狩野家の血と力』（講談社選書メチエ）講談社 平成六年一〇月
拙稿「狩野派の終焉」『明治日本画史料』中央公論美術出版 平成三年四月

54 拙稿「絵画と言語（二）雅号と理想の世界観」美術研究 三五七 東京国立文化財研究所 平成五年七月

55 田中日佐夫『美術品移動史――近代日本のコレクターたち』日本経済新聞社 平成三年九月（五刷）
瀬木慎一『東京美術市場史』東京美術倶楽部 昭和五四年
『日本洋画商史』日本洋画商協同組合 美術出版社 昭和六〇年

56 拙稿「歴史史料としてのコレクション」近代画説 二 明治美術学会 平成五年一二月

57 石塚裕道「殖産興業政策」項『国史大辞典』第七巻 六七四頁 吉川弘文館 昭和六一年

58 『絵画の明治――近代国家とイマジネーション』毎日新聞社 平成八年七月

59 高木博志「日本美術史の成立・試論――古代美術史の時代区分の成立」日本史研究 四〇〇 日本史研究会 平成七年一二月

拙稿「近代史学としての美術史学の成立と展開」『日本美術史の水脈』ぺりかん社 平成五年六月

60 拙稿「美術史学の近代と現代」連続シンポジウム「〈美術〉――その近代と現代をめぐる一〇の争点」第二回「美術の現在」日仏会館 平成六年九月二四日

参考文献

・B・アンダーソン『想像の共同体――ナショナリズムの起源と流行』リブロポート　昭和六二年一二月
・E・ホブズボウム、T・レンジャー編『創られた伝統』（文化人類学叢書）前川啓治他訳　紀伊國屋書店　平成四年
・西川長夫・松宮秀治編『幕末・明治期の国民国家形成と文化変容』新曜社　平成七年三月
・高木博志「近代天皇制の文化的統合――立憲国家形成期の文化財保護行政」『近代天皇制国家の社会統合』文理閣　平成三年
・高木博志『近代天皇制の文化史的研究』校倉書房　平成九年
・西川長夫『地球時代の民族＝文化理論』新曜社　平成七年
・酒井直樹『死産される日本語・日本人』新曜社　平成八年
・西川長夫『国境の越え方』筑摩書房　平成四年
・上田萬年ほか編『大字典』啓成社　大正一〇年三月
・惣郷正明・飛田良文『明治のことば辞典』東京堂出版　昭和六一年
・浦崎永錫『日本近代美術発達史〔明治篇〕』東京美術　昭和四九年
・『美術』日本近代思想大系　一七　岩波書店　平成元年

・北澤憲昭『眼の神殿』 美術出版社 平成元年
・木下直之『美術という見世物』 平凡社 平成五年
・中村伝三郎『明治の彫塑』 文彩社 平成三年
・『工芸』一〜三 東京テキスタイル研究所 平成七年
・鈴木健二「工芸」『現色現代日本の美術』第一四巻 小学館 昭和五五年
・山崎剛『工芸家たちの明治維新』展図録 大阪市立博物館 平成四年三月
・原田佳子「生活文化論考 Ⅲ 美術と工芸」 広島女学院大学論集 通巻四〇集 平成二年一二月
・佐藤道信「人にまつわるジャンルの形成」 平成五・六年度科学研究費補助金（一般研究A）研究成果報告書〈東アジア美術における人のかたち〉 東京国立文化財研究所
・北澤憲昭「『日本画』概念の形成にかんする試論」『明治日本画史料』 中央公論美術出版 平成三年
・『特集 日本画遠近』 武蔵野美術 九九 武蔵野美術大学 平成八年一月
・『描かれた歴史』展図録 兵庫県立近代美術館・神奈川県立近代美術館 平成五年
・佐藤道信『河鍋暁斎と菊池容斎』 日本の美術 三二五 至文堂 平成五年六月
・『〈人のかたち〉〈人のからだ〉』 平凡社 平成六年
・松本誠一「風景画の成立——日本近代洋画の場合」 美学 一七八 美学会 平成六年九月
・青木茂『自然をうつす』 岩波近代日本の美術 八 岩波書店 平成八年九月
・佐藤道信「「美術」と階層——近世の階層制と「美術」の形成」 ミューゼアム 五四五 東京

国立博物館　平成八年一二月
・田中穣『日本洋画の人脈』　新潮社　昭和四七年
・吉田千鶴子「東京美術学校と白馬会」　近代画説　五　明治美術学会　平成八年
・児島薫「白馬会成立の意味についての一試論」　近代画説　五　明治美術学会　平成八年
・佐藤道信「明治美術と美術行政」　美術研究　三五〇　東京国立文化財研究所　平成三年三月
・金子一夫『近代日本美術教育の研究――明治時代』　中央公論美術出版　平成四年
・松木寛『御用絵師　狩野家の血と力』（講談社選書メチエ）　講談社　平成六年一〇月
・瀬木慎一『東京美術市場史』　東京美術倶楽部　昭和五四年
・田中日佐夫『美術品移動史――近代日本のコレクターたち』　日本経済新聞社　昭和五六年
・『日本洋画商史』　日本洋画商協同組合　美術出版社　昭和六〇年
・樋田豊次郎『起立工商会社工芸下絵図案集　明治の輸出工芸図案』　京都書院　昭和六二年
・佐藤道信「歴史史料としてのコレクション」　近代画説　二　明治美術学会　平成五年一二月
・佐藤道信「ジャポニスムの経済学」　近代画説　四　明治美術学会　平成七年
・連続シンポジウム「〈美術〉――その近代と現代をめぐる一〇の争点」　日仏会館　平成六年九月～八年一一月
・佐藤道信「近代史学としての美術史学の成立と展開」『日本美術史の水脈』　ぺりかん社　平成五年
・高木博志「日本美術史の成立・試論――古代美術史の時代区分の成立」　日本史研究　四〇〇　日本史研究会　平成七年一二月

・井上章一『法隆寺への精神史』弘文堂　平成六年
・丹尾安典「日本における西洋美術史――その欧化主義と国粋主義」美術史論壇 一　韓国美術研究所　平成七年
・『東京国立博物館百年史』東京国立博物館　昭和四八年
・『東京芸術大学百年史　東京美術学校篇』第一巻　ぎょうせい　昭和六二年
・『百年史　京都市立芸術大学』京都市立芸術大学　昭和五六年
・『日本美術院百年史』（第一巻・索引）日本美術院　平成元年～一六年

あとがき

高校生のころだったか、新しいレコードが聞きたくて「一〇年に一人の大型新人」のレコードを買っては失敗していたことがあった。なんで一年や二年のあいだに「一〇年に一人」が何人も出てくるのか。

美術史を始めたころ、いい絵だと言われて、なぜどこがいいのかわからなかった。感じるままでいいんだよと言われて、なおさら困った。

ことばも絵も、それを理解するには文法が必要だ。でもその文法はいつも同じとは限らない。

いい作品はいいからいい、いつでもいいんだと言う人がいる。私もその神話は持っていたいのだが、もしそれが正しいなら廃仏毀釈は起こらなかった。作品の価値はどのように決まるのか、何が、誰が決めるのか。そのシステムがわかっていなければ、廃仏毀釈はまた起こる。

いわゆる〝専門家〟には、子どもや外国人の質問がいちばん答えづらい。知識の前提以前の〝そういうことになっている〟ところを突いてくるからだ。子どもがよく聞く「なぜ、どうして?」攻撃だ。しかし逆に言えば、その部分がじつは人々の暗黙の社会的な了解がいちばんとれている部分でもある。おそらく美術の根底の文法や前提も、その上に成りたっている。得てして〝専門家〟は、そういう質問はしないことになっているのだが、本書は時間をくったあげく、結局そういう部分の話題になってしまった。

いまさら「絵画」とは「工芸」とはなんだと言ったところで、だから何だと言われると、困る。未来を考えるためですと言っても、それはこれからの話で、今にいたる足あとを確認しただけのことだ。でもそれは、親の顔を知らないで育った人が、どうしても親を捜したいというのと同じではないのか。そこからその人の〝これから〟が始まるのだ。

美術を作ることと語ることとは同じではない。〝作り〟はモノにしばられ、〝語り〟はことばにしばられる。語る側にいる私たちの親は、研究や批評の歴史の方だろう。ただ作家が制作で他と違うものを作ろうとするのは、研究や批評でも同じだ。歴史や作品を語っていながら、つきつめていえば語っているのは自分だ。その語る〝自分〟(主体)が、個人だったり時代だったりするのであり、語る対象が今だったり過去(歴史)だったりするということだろう。

本書で見てみたかったのは、まさにその語る主体(〝自分〟)の歴史と意味だ。美術の価値と歴史は、〝作り〟と〝語り〟の二つの文法の上に成りたっている。〝語り〟はもちろん

〝作り〟がなければできないが、いったんことばができると、作り手も語り手も逆にそれに意識がしばられる。しかもそこで〝語り〟の論理が認識されていないと、議論は〝作り〟をめぐって糸のきれた凧のように堂々めぐりを始める。「日本画とはなにか」論は、さしずめその典型かもしれない。おそらく美術は、〝作り〟と〝語り〟二つの論理がかみ合わされてはじめて、みずからの位置を定めることができるのだ。〝美術の制度化〟論や国民国家論は、そうした二つの論理の存在と、その異株同根の関係性を明示した点に最大の功績があった。

〝歴史〟は近代に創られたのだという近代史研究から起こった視点に対しては、他で一部警戒感のようなものもあるのだが、心配することはない。広義の〝歴史〟化はつねに行なわれてきたのであり、近代の狭義の〝歴史〟創出はそのすべての蓄積の上に行なわれている。ゼロからの創造でない以上、歴史上の近代の相対化はすぐにも必要だ。語る〝自分〟（主体）の客体化はつねに必要なのであり、それはすべての人に共通なのだ。近代史研究じたいも、おそらくそのようにしてはじめて、みずからの位置を定めるのだろう。

私自身、広義の歴史と狭義の近代の延長上にあり、さらに狭義の現代（現在）の中にいる。二重三重の客体化が必要だ。ただ絶対の客体化などありえないわけだから、それを意識しつつどこかに棹をさして言うしかない。私にとってはそれが近代であり、手の届く範囲でその相対化をしようとしているだけということになるのだろう。

ともすれば堂々めぐりを始めようとする意識を近代につなぎとめて、ああでもない、こうでもないと考えているのは、不安で不安定だが、結構楽しい作業でもあった。〆切という現実に目を覚まされながら、ない頭をしぼってなんとか書けたのも、駑馬に必死でムチを入れてくれた池ノ上清さんのおかげだ。いかにも地味な内容を認めてしまったことに、後悔しているかも……と思いつつ、深く深く感謝したい。

また校閲部の方々の驚くべき実力にも、今回あらためて感嘆させられた。あわせて深く感謝したい。

平成八年一〇月

佐藤道信

文庫版著者あとがき

本書が刊行されたのは一九九六年一二月、もう二五年も前のことになった。自分でも入手しづらくなっていたところで、今回文庫版として出していただけることになった。筑摩書房の北村善洋さん、天野裕子さん、そして解説を書いていただいた畏友北澤憲昭さんに、心から感謝申し上げたい。

最初に選書として本書を書いた時、編集の方から事前に伝えられたのは、内容は大学生以上の専門向け七割、一般向け三割のイメージでということだった。結果的にはこれがずいぶん書きやすかった。というのも、近代日本美術史の研究を始めて以来、いくつも積み上がっていた疑問、たとえば日本と欧米での日本美術観は、なぜこれほど違うのか。日本画・洋画ともに新派が評価され、旧派が忘れられたのはなぜか。明治の早い時期の作家の活動は、なぜ美術展ではなく博覧会なのか、等々。いわば歴史地図の問題といえるこうした疑問に、個別の作品・作家研究の点をいくつ打っても面にはならないように思えた。そうした時に北澤さんの『眼の神殿』（一九八九年）が、「美術」という概念と制度でそれを読み解く方法論を示してくれたことで、本書で理論研究と個別研究の間を行くのに、この七割・三割のイメージはピッタリだった気がする。本書で「美術」の各論というべき「絵画」(日本画・西洋画)「彫刻」「工芸」の語を扱ったのは、その二年前の一九九四年から勤務した東京芸術大学の美術学部の学科構成によるところが大きい(いわば現場論、大学史の一環)。また第四章「美術の環境」と、終章「日本美術史」の創出」で扱った美術行政、美術史学史などの諸々の問題は、その前に勤務した東京国立文化財研究所時代からの〝いくつも積み上がった疑問〟だった。

「ことば」と行政論にかなりの比重をおいたせいか、本書が出た当時、ずいぶん色々な賛否が出た。漢字オタク、ただでも「どうしん」と刀でも差していそうな名前で美術行政とは、きっととんでもない権力主義者では? とか。また現状を批判したつもりはなかったが、某国では「こんな批判的なことを書いてよく国立大学の先生になれた」、あるいは逆に外国の研究者からは「まさにこういうことを書きたかったが気が引けて書けなかった、よく書いてくれた」という声も多かった。ン—…だから批判したつもりはないのにとそもそも感じたこと自体、やはりこちらがズレていたのだろうか。ずっとあとになって、ことばや権力の問題を扱ったのには、「不立文字」と、権力を離れて山の中に入った禅宗系(曹洞宗)の寺に生まれ育った、自分の出自が影響していたかもしれないと思うようになった。大学を卒業して社会に出て初めて、実際に世の中を動かしているのは、むしろ自分が育った環境では否定的だった「ことば」や権力の方であることを痛感させられた。だからそれを避けたのかと納得した一方で、現場で働くことを選択した自分にはそのスキルが全くなかったことが、それを検証しようとした無意識の動機としてあった気がする。

また本書が出たことで予想外の面白い体験もした。〈日本美術〉誕生と題した実質、日本文化論だったためか、大学入試で国語の試験問題としてかなり使われた。自分の受験勉強当時、一番苦手でいつも低空飛行だったのが国語だったから、長年のコンプレックスを晴らした気分だった。ところが、自分で書いた文章だったら満点だろうと思い、送られてきた問題を解いてみると、なぜか昔と同じだった。「作者の意図は次のどれか」もハズレ。作者の意図を、なぜ作者が分からないのか、動揺して混乱した。「解答のポイント」で、「これが分かれば解ける」というポイントも、違和感があった。しばらく考えて納得したのは、作者の意図より実質、出題者の意図を理解できるかどうかが、入試の解答のポイントらしいということだった。出題側にもなった今なら、思いあたる節もある。自分が〝作者〟となって初めて体験したことだったが、これからすると、いつも自分が美術史として作者・作品について書いていることも、同じことではないのか。そう思って同僚の実技の先生たちに聞いてみると、いっせいに振り向いて「そうだよ」という返答。ことばや言説の問題を研究したはずが、結局回り回って自分に降ってきた感があった。自分も当事者で、棚上げにはできないことを実感させられた体験だった。

もう一点、いま当時を振り返って思うのは、本書もそうだが、近代の日本美術もそれへの研究も、西洋との関係に極端に傾斜して行われてきたことである。東アジアの近代美術交流の研究が各国で進む現在、そこでの歴史地図を描く必要も感じるが、思った以上に難しそうだ。アジアは他者か自己かという古くて新しい問題が、現在的状況として今もそこにある。留学生で〈中国美術〉誕生のようなことを研究する人も出始めており、そちらの方が自分の考えよりずっと面白い。自国美術史の検証は自国で行う方が、当面、東アジアの場合は良さそうな気もする。

二〇二一年八月

佐藤道信

文庫版解説　「ことば」と「機構」——自己探求としての日本近代美術史論

北澤憲昭

文脈の転換

礼拝の対象として堂宇に安置される仏像は、そこに存在することに意義がある。姿を見ることは礼拝の必要条件ではない。これは秘仏の例にあきらかだ。ひとびとは、その姿を目にすることなく手を合わせる。そればかりではない。礼拝にとって見ることは、妨げにさえなる。「大仏は見るものにして尊ばず」という川柳がその機微を伝えている。

ところが、ひとたび仏像が博物館に展示されると、礼拝をさしおいて見ることが目的となる。礼拝から鑑賞へ、宗教から美術へと文脈が転換されるわけだ。日本において、こうした動きを促したのは一八七一（明治四）年に発せられた「古器旧物」保存の太政官布告であった。いわゆる文明開化のプロセスで旧来の文化財がないがしろにされる状況に向けられたこの施策は、近代日本における文化財保護政策の起点と目されるのだが、それは、博物館に相当する「集古館」という施設に文化財を収蔵する計画を伴っており、しかも、その保護対象には仏像も含まれていた。太政官の布告は、仏像が宗教の文脈から引きはなされ、美術の文脈に位置づけなおされてゆく端緒でもあったのだ。「開帳」など江戸時代以前にも仏像を衆目に晒す機会がなかったわけではないものの、明治以後の近代化の過程で、それが急速に一般化してゆくのである。同様の事態はヨーロッパにおいてもみられた。『複製技術時代の芸術作品』のベンヤミンは、これを「礼拝価値」から「展示価値」への転換として論じている。

　転換は歴史上の文化財にばかりかかわっていたわけではない。やがて同時代の造型にも影を落とすようになる。明治以降、鑑賞のための造型は「美術」というヨーロッパ由来の翻訳概念によって捉え直されていくことになるのである。「〈日本美術〉誕生」という本書のタイトルは、一見すると原始古代にさかのぼる造型史を思わせるが、じつは、こういう事態を指し示している。「誕生」というのは、日本社会における造型が「美術」という文脈に組み込まれるということ、すなわち「美術」としての再生（リノヴェイション）を意味しているのだ。日本美術に山括弧が付されたゆえんである。

　政策、制度、言説などさまざまな次元において推し進められていった日本美術「誕生」のプロセスを、本書は、美術をめぐる幾つかの「ことば」と、それらのことばに支えられる「機構」とに焦点を絞って明快に描き出している。本書にいう「機構」とは主に官庁の組織を指す。

「ゆらぎ」と「ゆがみ」

こうした企てへと著者を向かわせたモティヴェイションは、いったい何か。本書にその回答を求めるならば、「ゆらぎ」という語が糸口になる。佐藤は、こう書いている。

「日本」がゆらぎ、「美術」もゆらぎ、「歴史」認識もゆらいでいる現在、未来を考えるために、現在がある理由と必然を確認しておくことは是非とも必要だ。（二四七頁）

このようなゆらぎが生じたのは、明治に始まる近代化の動きが相対化され、大きな疑問符を突き付けられたからだ。本書が説いているように「美術」も「日本」も「歴史」も近代化の過程で形成もしくは再形成されていった概念なのである。本書が刊行されたのは一九九六年、情報化社会が本格化し、近代を駆り立てて来た工業社会の次なる時代が漸く人びとの前に明瞭な姿を現わし始めたときにあたっている。マーク・ポスターの『情報様式論』が刊行されたのが本書の五年前、さらにその五前年にはリオタールの『ポストモダンの条件』が翻訳刊行されている。「ポストモダン」という語で特徴づけられる時代のさなかに、本書は書かれたのであった。

この企てが、美術にかんする「機構」と「ことば」とを手がかりにしているのは、近代化の過程でこの二つが決定的な役割を果たしたからである。これは冒頭に挙げた仏像の例にあきらかだ。そこでは太政官布告の文言と博物館施設という機構が要となっていた。だが、こういうだけではトートロジーにすぎまい。研究スタンスの由来は別の角度からも探る必要がある。

ことばについていえば、本書に先立つ時代において――たとえば構造人類学にみられるごとく――言語論が思想状況の中核を占めていたことが指摘できるが、ことばへの関心は著者の美術史観にもかかわっていた。美術の歴史は、作品や作家ばかりではなく、それをめぐる評論や研究などの言説を伴うことで初めて成り立つとする美術史観である。

このような発想から「日本画」「西洋画（洋画）」「彫刻」「工芸」といったジャンルの成り立ちが解きあかされてゆくのだが、そこには、美術史家としての自己の成り立ちを、美術史の存立と共に見極めようとする動機が認められる。しごく真っ当なこの構えは、しかし、危険な構えでもある。これを徹底してゆくならば、ついには美術史研究の底を踏み抜かざるをえないからだ。「日本」「美術」「歴史」という語の歴史的検討は、美術史の大前提を掘り下げることであり、「日本美術史」以前へと溯行することを余儀なくさせるのである。

ことばへの関心には、佐藤道信が禅家に出自をもつことも、もしかしたら影を落としていたかもしれない。「不立文字」、すなわち、ことばのヴェールの彼方に真実を求めよという教えである。時代がもたらした概念の「ゆらぎ」は、ことばのもたらす根源的な「ゆがみ」と不即不離の関係において見いだされたのである。これは、「あとがき」で、本書の主題が「子どもや外国人」の問いかけに譬えられるゆえんでもあろう。ことばに由来する暗黙の了解は異文化圏の人々や子どもたちには通用しないからだ。同様の発想は、中世の日本地図を目にした中学時代の著者の感慨、「東北生まれの私は、色づけされた地図の中で東北北部と北海道がまっ白になっているのに驚いた」という一節にも見てとることができる。

「機構」と人脈

「ことば」への関心が、著者の研究と出自にかかわるとすれば、「機構」への着目は、職業意識に由来しているように思われる。東京藝術大学の教壇に立つ以前に、佐藤は板橋区立美術館、東京国立文化財研究所（現東京文化財研究所）に在職していたのだ。美術館、研究所、大学と職場は変わったものの、一貫して美術にまつわる機構に属してきたわけで、そこでの経験が本書のモティヴェイションと無縁だとは思えない。

機構に焦点を絞った考察は、おおむね第四章「美術の環境」にまとめられているが、副題に「階層・行政・団体・コレクション」とあるとおり考察は多岐にわたり、美術界の人脈についても多くのことばが費やされている。機構に的を絞れば、文化ナショナリズムを奉じて出発した東京美術学校（現東京藝術大学美術学部）の「アキレス腱」を、設置当時の文部大臣が西洋派の森有礼であったことに指摘するくだりや、工芸というジャンルが、産業と美術、さらには帝室御用という三つの次元に分割され、それぞれ農商務省、文部省、宮内省が所管したことによってジャンルとしてのまとまりをもち難かったという指摘など、機構の特質や機構間の関係から――そこにまつわる人脈を浮かび上がらせつつ――歴史を読み解いてゆくセンスは鋭く冴えわたっている。工芸ジャンルにかんする見解は、「工芸こそ美術ジャンル成立以前の造型を捉える「マキシマムな包括概念」（六五頁）であるという第二章「美術の文法」の指摘と相俟って、日本の造型史を読み換える重要なヒントとなる。また、明治期美術界のジャンルや新旧派閥と江戸時代の身分制や藩閥とのかかわりを読み解いてゆくくだりは特段の説得力をもつ。

しかも、機構にかんするこれらの考察には現場感覚とでもいうべきものが漲っている。これは、佐藤が芸術にかかわる公的機関に在籍してきたことと決して無関係ではあるまい。誠実な職業意識が、歴史の解読に適用されたということだ。

一九七〇年代から二〇〇〇年代前半にかけて、日本各地に公立私立の美術館が相次いで建設され、ほとんど乱立ともいえる様相を呈した。「地方の時代」の掛け声と企業の文化志向をバブル景気が後押しした現象だったが、これによって美術界の中心は、街場の画廊やジャーナリズムから美術館へと移行することになった。これは、さまざまな機構が美術界を動かしていった明治期の歴史を思い起こさせる状況だった。美術館というのは、公立であれ私立であれ、学芸員という専門職の組織が中心となって運営される官僚的な機構であるからだ。本書の著者は、まさしくこの美術館の時代のさなかで美術界にかかわるようになった世代に属しているのである。

自己探求の書

このように書くと、あるいは著者に対して怜悧な能吏のような印象を懐くかもしれないが、そして、それは必ずしも間違いとはいえないのだが、しかし、本書を読み進めるあいだに、読者は、行文の原動力が熱い思いであることに気づかずにいないはずだ。ことばがもたらす「ゆらぎ」と「ゆがみ」にかんするくだりで述べたように、その思いは、自分というものを見出そうとする切なる願いに発している。ふたたび「あとがき」から引いておこう。

いまさら「絵画」とは「工芸」とはなんだと言ったところで、だから何だと言われると、困る。（中略）今にいたる足あとを確認しただけのことだ。でもそれは、親の顔を知らないで育った人が、どうしても親を捜したいというのと同じではないのか。そこからそ

の人の〝これから〟が始まるのだ。(二七二頁)

「美術」を成り立たせてきた制度の形成過程をたどるこの啓蒙の書は、とりもなおさず自己探求の書でもあった。

佐藤道信は、「ことば」の彼方にゆらめくファクトに目を凝らすことで、近代初期の鑑賞造型の在り方を規定した機構の様相を、そして美術を語ることばの諸相を軽快な筆致で、ときに図版や箇条書きを交えながら淡々とスケッチしている。だが、クールで明快な文章の底には、希求にも似た切実な自己探求の思いが見いだされるのである。

(きたざわ・のりあき　美術評論家)

ナ

ハ

サ

索引

本書は、一九九六年一二月一〇日、講談社から講談社選書メチエとして刊行された。

仏像入門　石上善應

仏像は観賞の対象ではない。仏教の真理を知らしめてくれる善知識なのである。浄土宗学僧のトップが出遇い、修行の助けとした四十四体の仏像を紹介。

岡本太郎の宇宙（全6巻）　岡本太郎／山下裕二／椹木野衣／平野暁臣編

20世紀を疾走した芸術家、岡本太郎。彼の言葉と作品は未来への強い輝きを放つ。遺された著作を厳選編集し、その存在の全貌に迫った、決定版著作集。

対極と爆発　岡本太郎の宇宙1　岡本太郎／山下裕二／椹木野衣／平野暁臣編

彼の生涯を貫いた思想とは。「対極」と「爆発」をキーワードに、若き日の詩文から大阪万博参加への決意まで、そのエッセンスを集成する。（椹木野衣）

太郎誕生　岡本太郎の宇宙2　岡本太郎／山下裕二／椹木野衣／平野暁臣編

かの子・一平という両親、幼年時代、鬱屈と挫折、パリでの青春、戦争体験……。稀有な芸術家の思想を形作ったものの根源に迫る。（安藤礼二）

伝統との対決　岡本太郎の宇宙3　岡本太郎／山下裕二／椹木野衣／平野暁臣編

突き当たった「伝統」の桎梏。そして縄文の美の発見。彼が対決した「日本の伝統」とははたして何だったのか。格闘と創造の軌跡を追う。（山下裕二）

日本の最深部へ　岡本太郎の宇宙4　岡本太郎／山下裕二／椹木野衣／平野暁臣編

東北、熊野、沖縄……各地で見、聴き、考えるなかで岡本太郎は日本の全く別の姿を摑みだす。文化の基層と本質に迫る日本文化論を集成。（赤坂憲雄）

世界美術への道　岡本太郎の宇宙5　岡本太郎／山下裕二／椹木野衣／平野暁臣編

殷周、縄文、ケルト、メキシコ。西欧的価値観を突き抜け広がり深まるその視線。時空を超えた眼差しの先の世界美術史構想を明らかに。（今福龍太）

太郎写真曼陀羅　岡本太郎の宇宙　別巻　岡本太郎／山下裕二／椹木野衣／ホンマタカシ編

ここには彼の眼が射た世界が焼き付いている！人々の生の感動を捉えて強烈な輝きを放つ岡本太郎の写真から320点余りを厳選収録。（ホンマタカシ）

茶の本　日本の目覚め　東洋の理想　岡倉天心／櫻庭信之／斎藤美洲／富原芳彰／岡倉古志郎訳

茶の哲学を語り（茶の本）、東洋精神文明の発揚を説き（日本の目覚め）、アジアは一つの理想を掲げた（東洋の理想）天心の主著を収録。（佐藤正英）

グレン・グールドは語る
グレン・グールド／ジョナサン・コット
宮澤淳一訳
独創的な曲解釈やレパートリー、数々のこだわりにより神話化された天才ピアニストが、最高の聞き手を相手に自らの音楽や思想を語る。新訳。

造形思考(上)
パウル・クレー
土方定一／菊盛英夫／坂崎乙郎訳
クレーの遺した膨大なスケッチ、草稿のなかからバウハウス時代のものを集成。独創的な作品はいかにして生まれたのか、その全容を明らかにする。

造形思考(下)
パウル・クレー
土方定一／菊盛英夫／坂崎乙郎訳
運動・有機体・秩序。見えないものに形を与え、目に見えるようにするのが芸術の本質だ。ベンヤミンをも虜にした彼の思想とは。(岡田温司)

ジョン・ケージ著作選
ジョン・ケージ
小沼純一編
卓越した聴感を駆使し、音楽に革命を起こしたケージ。本書は彼の音楽論、自作品の解説、実験的な文章作品を収録したオリジナル編集。

ゴダール映画史(全)
ジャン＝リュック・ゴダール
奥村昭夫訳
空前の映像作品「映画史 Histoire(s) du cinéma」のルーツがここに！一九七八年に行われた連続講義の記録を全一冊で文庫化。(青山真治)

増補シミュレーショニズム
椹木野衣
恐れることはない、とにかく「盗め！」。独自の視点より、八〇／九〇年代文化を分析総括し、多くのシーンに影響を与えた名著。(福田和也)

ゴシックとは何か
酒井健
中世キリスト教信仰と自然崇拝が生んだ聖なるかたち。その思想をたどり、ヨーロッパ文化を読み直す。補遺としてガウディ論を収録した完全版。

卵のように軽やかに
エリック・サティ
秋山邦晴／岩佐鉄男編訳
音楽史から常にはみ出た異端者として扱われてきたサティとは何者？時にユーモラス、時にシニカルなエッセイ・詩を精選。(巻末エッセイ 高橋アキ)

湯女図
佐藤康宏
江戸の風呂屋に抱えられた娼婦たちを描く一枚のミステリアスな絵。失われた半分には何が描かれていたのか。謎に迫り、日本美術の読み解き方を学ぶ。

グレン・グールド　孤独のアリア
ミシェル・シュネデール
千葉文夫訳
鮮烈な衝撃を残して二〇世紀を駆け抜けた天才ピアニストの生と死と音楽を透明なタッチで描く、最もドラマティックなグールド論。（岡田敦子）

民藝の歴史
志賀直邦
モノだけでなく社会制度や経済活動にも美しさを求めた柳宗悦の民藝運動。「本当の世界」を求める若者達のよりどころとなった思想を、いま振り返る。

シェーンベルク音楽論選
アーノルト・シェーンベルク
上田昭訳
十二音技法を通して無調音楽へ――現代音楽への扉を開いた作曲家・理論家が、自らの技法・信念・つきあげる表現衝動に向きあう。（岡田暁生）

魔術的リアリズム
種村季弘
一九二〇年代ドイツに突然現れ、妖しい輝きを遺して消え去った「幻の芸術」の軌跡から、時代の肖像を鮮やかに浮かび上がらせる。（今泉文子）

20世紀美術
高階秀爾
混乱した二〇世紀の美術を鳥瞰し、近代以降、現代すなわち同時代の感覚が生み出した芸術が、われわれにとって持つ意味を探る。増補版、図版多数。

世紀末芸術
高階秀爾
伝統芸術から現代芸術へ。19世紀末の芸術運動には既に抽象芸術や幻想世界の探求が萌芽していた。新時代への美の冒険を捉える。（鶴岡真弓）

鏡と皮膚
谷川渥
「神話」という西洋美術のモチーフをめぐり、芸術の認識論的隠喩として二つの表層を論じる新しい身体論・美学。鷲田清一氏との対談収録。

肉体の迷宮
谷川渥
あらゆる芸術表現を横断しながら、捩れ、歪み、時には傷つき、さらけ出される身体と格闘した美術作品を論じる著者渾身の肉体表象論。（安藤礼二）

武満徹エッセイ選
小沼純一編
稀代の作曲家が遺した珠玉の言葉。作曲秘話、評論、文化論など幅広いジャンルを網羅したオリジナル編集。武満の創造の深遠を窺える一冊。

あそぶ神仏　辻惟雄

白隠、円空、若冲、北斎……。彼らの生んだ異形でかわいい神仏とは。「奇想」で美術の常識を塗り替えた大家がもう一つの宗教美術史に迫る。（矢島新）

デュシャンは語る　マルセル・デュシャン　聞き手ピエール・カバンヌ　岩佐鉄男／小林康夫訳

現代芸術において最も魅惑的な発明家デュシャン。謎に満ちたこの稀代の芸術家の生涯と思考・創造活動に向かって深く、広く開かれた異色の対話。

音楽理論入門　東川清一

リクツがわかれば音楽はもっと楽しくなる！　楽譜で用いられる種々の記号、音階、リズムなど、鑑賞や演奏に必要な基礎知識を丁寧に解説。

プラド美術館の三時間　エウヘーニオ・ドールス　神吉敬三訳

20世紀スペインの碩学が特に愛したプラド美術館を借りて披瀝した絵画論。「展覧会を訪れる人々への忠告」併収の美の案内書。（大高保二郎）

土門拳　写真論集　土門拳　田沼武能編

戦後を代表する写真家、土門拳の書いた写真選評やエッセイを精選。巨匠のテクニックや思想を余すところなく盛り込んだ文庫オリジナル新編集。

なぜ、植物図鑑か　中平卓馬

映像に情緒性・人間性は不要だ。図鑑のような客観的視線を獲得せよ！　日本写真の'60〜'70年代を牽引した著者の幻の評論集。（八角聡仁）

監督　小津安二郎〔増補決定版〕　蓮實重彥

小津映画の魅力は何に因るのか。人々を小津的なものの神話から解放し、現在に小津を甦らせた画期的著作。一九八三年版に三章を増補した決定版。

ハリウッド映画史講義　蓮實重彥

「絢爛豪華」の神話都市ハリウッド。時代と不幸な関係をとり結んだ「一九五〇年代作家」を中心に、その崩壊過程を描いた独創的映画論。（三浦哲哉）

美術で読み解く　新約聖書の真実　秦剛平

西洋名画からキリスト教を読む楽しい3冊シリーズ。新約聖書篇は、受胎告知や最後の晩餐などのエピソードが満載。カラー口絵付オリジナル。

美術で読み解く　旧約聖書の真実　秦　剛　平

名画から聖書を読む「旧約聖書」篇。天地創造、アダムとエバ、洪水物語。人類創始から族長・王達の物語を美術はどのように描いてきたのか。

美術で読み解く　聖母マリアとキリスト教伝説　秦　剛　平

キリスト教美術の多くは捏造された物語に基づいていた！　マリア信仰の成立、反ユダヤ主義の台頭など、西洋名画に隠された衝撃の歴史を読む。

美術で読み解く　聖人伝説　秦　剛　平

聖人100人以上の逸話を収録する『黄金伝説』は、中世以降のキリスト教美術の典拠になった。絵画・彫刻と対照させつつ聖人伝説を読み解く。

イコノロジー研究（上）　エルヴィン・パノフスキー　浅野徹ほか訳

芸術作品を読み解き、その背後の意味と歴史的意識を探求する図像解釈学。人文諸学に汎用されるこの方法論の出発点となった記念碑的名著。

イコノロジー研究（下）　エルヴィン・パノフスキー　浅野徹ほか訳

上巻の、図像解釈学の基礎論的「序論」と「盲目のクピド」等各論に続き、下巻は新プラトン主義と芸術作品の相関に係る論考に詳細な索引を収録。

〈象徴形式（シンボル）〉としての遠近法　エルヴィン・パノフスキー　木田元監訳　川戸れい子／上村清雄訳

透視図法は視覚とは必ずしも一致しない。それはいわばシンボル的な形式なのだ――。世界表象のシステムから解き明かされる、人間の精神史。

見るということ　ジョン・バージャー　飯沢耕太郎監修　笠原美智子訳

写真の登場で、人間は膨大なイメージに取り囲まれ、歴史や経験との対峙を余儀なくされた。見るという行為そのものに肉迫した革新的美術論集。

イメージ　ジョン・バージャー　伊藤俊治訳

イメージが氾濫する現代、「ものを見る」とはどういう意味をもつか。美術史上の名画と広告とを等価に扱い、見ること自体の再検討を迫る名著。

バルトーク音楽論選　ベーラ・バルトーク　伊東信宏／太田峰夫訳

中・東欧やトルコの民俗音楽研究、同時代の作曲家についての批評など計15篇を収録。作曲家バルトークの多様な音楽活動に迫る文庫オリジナル選集。

反オブジェクト 隈研吾

自己中心的で威圧的な建築を批判したかった——思想的な検討を通し、新たな可能性を探る。いま最も世界の注目を集める建築家の思考と実践！

錯乱のニューヨーク レム・コールハース 鈴木圭介訳

過剰な建築的欲望が作り出したニューヨーク／マンハッタンを総合的・批判的にとらえる伝説の名著。本書を読まずして建築を語るなかれ！（磯崎新）

S, M, L, XL+ レム・コールハース 太田佳代子／渡辺佐智江訳

世界的建築家の代表作がついに！ 伝説の書のコア・エッセイにその後の主要作を加えた日本版オリジナル編集。彼の思索のエッセンスが詰まった一冊。

東京都市計画物語 越澤明

関東大震災の復興事業から東京オリンピックに向けての都市改造まで、四〇年にわたる都市計画の展開と挫折をたどりつつ新たな問題を提起する。

新版大東京案内（上） 今和次郎編纂

昭和初年の東京の姿を、都市フィールドワークの先駆者が活写した名著。上巻には交通機関や官庁、デパート、盛り場、遊興、味覚などを収録。

グローバル・シティ サスキア・サッセン 伊豫谷登士翁監訳 大井由紀／高橋華生子訳

世界の経済活動は分散したのではない、特権的な大都市に集中したのだ。国民国家の枠組みを超えて発生する世界の新秩序と格差拡大を暴く衝撃の必読書。

東京の空間人類学 陣内秀信

東京、このふしぎな都市空間を深層から探り、明快に解読した定番本。基層の地形、江戸の記憶、近代の都市造形が、ここに甦る。図版多数。（川本三郎）

大名庭園 白幡洋三郎

小石川後楽園、浜離宮等の名園では、多種多様な社交が繰り広げられていた。競って造られた庭園の姿に迫りヨーロッパの宮殿とも比較。（尼﨑博正）

東京の地霊（ゲニウス・ロキ） 鈴木博之

日本橋室町、紀尾井町、上野の森……。その土地に堆積した数奇な歴史・固有の記憶を軸に、都内13カ所の土地を考察する「東京物語」。（藤森照信／石山修武）

ちくま学芸文庫

〈日本美術〉誕生　近代日本の「ことば」と戦略

二〇二一年十月十日　第一刷発行

著者　佐藤道信（さとう・どうしん）

発行者　喜入冬子

発行所　株式会社　筑摩書房
東京都台東区蔵前二―五―三　〒一一一―八七五五
電話番号　〇三―五六八七―二六〇一（代表）

装幀者　安野光雅
印刷所　株式会社精興社
製本所　株式会社積信堂

ISBN978-4-480-51077-8 C0170